Uitzicht over Rome

Van Joan Marble verscheen eerder bij Forum:

Een tuin in Italië

Joan Marble

Uitzicht over Rome

2004 – Forum – Amsterdam

Oorspronkelijke titel: Notes from a Roman Terrace
Oorspronkelijke uitgever: Doubleday, a division of Transworld Publishers
Nederlandse vertaling: Annet Mons
Omslagontwerp: Studio Pollmann, Amsterdam
Omslagfoto: Michael Boys/Corbis

ISBN 90 225 3811 7

Voor mijn lieve Robert

Inhoud

I

Panem – Brood

Onze flat

-

Ons palazzo

-

Onze buurt

-

Ons dagelijks brood

Terwijl ik aan dit boek over Rome werkte, had ik vaak het gevoel dat ik in de tijd van Marcus Aurelius leefde. Hoewel hij in 180 n.Chr. is gestorven, heersen er vandaag de dag in de hoofdstad nog steeds veel gewoonten en op-vattingen die in die verre tijden welig tierden. Er bestaat een soort naad-loze continuïteit die mij ervan overtuigt dat veel eigenschappen die deel uitmaken van de hedendaagse Romeinse psyche duizenden jaren geleden in DNA-codes zijn vastgelegd. De opvallendste overblijfselen uit de voorbije glorie van Rome zijn de zichtbare, die je overal in de stad tegenkomt. Maar het zijn niet alleen de gebouwen en de straatstenen die me aan het oude Rome herinneren. Het zijn ook de mensen en het hele netwerk van sociale, politieke en familieconnecties die vanaf de tweede eeuw van onze jaartelling intact lijken te zijn gebleven.

In tegenstelling tot de meeste wereldsteden heeft Rome nimmer aan in-dustrie gedaan. Het was de hoofdstad van het grootste rijk van de Oudheid en de welvaart ervan berustte volledig op de opbrengst uit oorlogen. Alle burgers van Rome, rijk en arm, waren voor hun levensonderhoud van de overheid afhankelijk. Om dit gigantische rijk op de been te houden, ont-wikkelde de stad een bovenklasse van wetgevers, bestuurders, technici en generaals wier belangrijkste taak het was de Romeinse suprematie te handhaven. Uiteindelijk waren het de generaals die hun weg naar de top vonden, waarbij ze zichzelf tot de rang van keizer bevorderden. Sommi-gen, zoals Augustus, werden aanbeden alsof ze goden waren. Met de inzet van slaven bouwden ze schitterende openbare gebouwen en triomfbogen, benevens acht bruggen over de Tiber en duizend badhuizen. In sommige daarvan konden zo'n negenduizend burgers per dag terecht.

Dit publieke vertoon van overvloed verhult evenwel niet het feit dat er een enorme kloof tussen de heersende klassen en de massa bestond. Enkele slimme lieden van de lagere klassen klampten zich vast aan de jaspanden van vooraanstaande burgers, die hen beloonden met giften en met lagere baantjes op de regeringskantoren. Ik heb zo'n vermoeden dat dit het begin is geweest van het systeem van clientelismo *(vriendjespolitiek) dat tot op de dag van vandaag in Rome bestaat en dat in alle grauwe bureaucratie van de stad, van het postkantoor tot het politiebureau, te vinden is. Het is misschien eveneens de oorzaak van de wijdverbreide Romeinse opvatting dat je maar hoeft te piepen en de staat zal voor je zorgen.*

Desondanks werden de lagere klassen met de groei van het rijk en de toestroom van burgers uit alle uithoeken rusteloos, en in een poging hen koest te houden besloot de regering hun iedere week wat graan te geven. Teneinde ervan verzekerd te zijn dat de graanvoorraad naar Rome bleef stromen, moesten de keizers een gestage druk op de afgelegen provincies zien te handhaven. Het is bekend dat Spanje en Egypte hun zendingen tarwe moesten vergroten, zelfs toen hun eigen bevolking honger leed. De huidige Italiaanse regering heeft nog steeds wetten om de armen in staat te stellen voor een redelijke prijs brood te kopen, en de nederige homp brood blijft het stapelvoedsel van veel gezinnen. De daaropvolgende veelvoorkomende producten op de tafel van de armen zijn spaghetti en pizza, allebei voordelige verwanten van brood.

Een andere list waar de keizers hun toevlucht toe namen om de massa's tevreden te houden was het organiseren van gladiatorvoorstellingen, waar de stadsbewoners gratis naartoe mochten. Toen Titus het Colosseum inwijdde, werden er binnen honderd dagen vijfduizend beesten gedood, en veel gladiatorgevechten werden zo gehouden dat geen van de strijders levend kon ontkomen. Soms werden veroordeelde misdadigers in de kooien van olifanten en tijgers geworpen om daar de dood te vinden. Hoewel de massa dol was op dit spektakel, meldt Suetonius dat veel Vestaalse Maagden, die speciale zitplaatsen naast de keizer hadden, naar buiten moesten worden gedragen omdat ze waren flauwgevallen van afschuw.

De dichter Juvenalis vond de hele vertoning ontluisterend. 'Het volk dat eens bevelen en consulaten verstrekte [...] bemoeit zich nu nergens meer mee en verlangt slechts naar twee dingen: brood en spelen,' schreef hij.

Ik heb ervoor gekozen dit boek te ordenen rond Juvenalis' idee van '*brood en spelen*'. *Het eerste deel zal over het brood gaan en het zal eveneens proberen enig licht te werpen op de vreugden en frustraties van het inrichten van een huis (en een terras) in een slecht geoutilleerd Romeins palazzo. In het tweede deel beschrijf ik enkele mensen die we tijdens ons lange verblijf in Rome hebben leren kennen, onder hun vrienden die ons enthousiasme voor ecologie en tuinieren deelden. Het derde deel werpt een kritische blik op sommige circustoestanden die thans een prominente rol in het Romeinse leven spelen. Deze hoofdstukken benadrukken de rol van de televisie bij het opbouwen van alle gekte. Het schijnsel van de buis heeft in de meeste gezinnen de plaats van het schijnsel van de haard ingenomen: de tv is Italiës nieuwe priester, peepshow, sportstadion, politiek forum en dagelijkse krant (waarin de helft van de ruimte aan reclame is gewijd) geworden. Sommige hoofdstukken zullen luchthartig zijn, maar ik kon het boek niet besluiten zonder een laatste blik op de schaduwen die langzaam maar zeker het zonnige landschap bedreigen.*

I

De geluiden van Rome

WANNEER IK OP REIS BEN IN EEN VER LAND, ZIJN ER ALTIJD GELUI-
den die me aan Rome doen denken. Het eerste is het geluid van een
hamer waarmee op een stenen muur wordt geslagen, een hoog *tik*,
tik, *tik*, dat wijst op een steenhouwer die een muur van bakstenen
repareert of een tunnel voor nieuwe elektrische kabels hakt. Rome
is de stad van de steenhouwers, en tweeduizend jaar lang hebben
mannen met sterke armen hun hamers geheven om ze met een klap
neer te laten komen op het stompe uiteinde van ijzeren beitels, om
de stenen die de ruggengraat van de Eeuwige Stad vormen te bewerken. Ik hoor dit *tik*, *tik* af en toe ook op zondag, maar dan klinkt
het veel zachter, wanneer Robert, mijn beeldhouwende echtgenoot, uit ruw travertijn sokkels voor zijn beelden maakt.

Het tweede geluid dat me aan Rome doet denken komt in het
voorjaar en in de vroege zomer. Het zijn de hoge, schrille kreten
van de gierzwaluwen die na hun overwintering in Afrika terugkeren
naar Rome. Na vele jaren in de lente naar de lucht te hebben gekeken, ontdekten Robert en ik dat onze zomergasten meestal op onze
verjaardag, 8 april (ja, we zijn op dezelfde dag jarig), terugkeren en
daarom is het een gewoonte geworden deze gebeurtenissen te vieren met het openmaken van een fles prosecco op ons Romeinse terras, terwijl de vogels in volle vaart vanuit de zuidelijke hemel komen
aanvliegen.

Het zwaluwse vluchtplan terug uit Afrika is altijd hetzelfde. Eerst
tollen er een paar zwaluwen – misschien verkenners – hoog in de
lucht boven de Chiesa del Divino Amore (de Kerk van de Goddelij-

ke Liefde) pal aan de overkant van het steegje achter ons. Ze cirkelen en duikelen een uur lang boven de kerk, en dan, als de zon lager zakt, komen ze dichterbij om de insecten die uit de warme stad opstijgen te vangen. Pas dan horen we eindelijk de vertrouwde kreten die voor mij het ware geluid van het voorjaar in Rome vormen.

Hoewel ik beweer dat de zwaluwen op onze verjaardag terugkomen, moet ik erkennen dat ze ons sommige jaren tot wel zeven dagen hebben laten wachten. Eén jaar lagen ze een volle week op het schema achter, en de kranten meldden dat ze vertraging hadden opgelopen door ongewoon hevige zandstormen in Marokko en Algerije. Er waren ook verhalen, die later door vogelexperts werden ontkend, dat hun aantallen waren gedecimeerd door stropers die bij de punt van Calabrië de zee in waadden om vogels die uit Tunis migreren neer te schieten. (De vogelaars beweren dat de stropers in werkelijkheid op adelaars en haviken jagen, niet op zwaluwen.)

We besloten op een recente 8 april een feestje op het terras te organiseren om de terugkeer van de zwaluwen te vieren. Het bleek een prachtige voorjaarsmiddag te zijn. Onze witte *Wisteria* (blauweregen) over de pergola stond in volle bloei, en vlak eronder stond onze doorbloeiende roos 'Iceberg', die deze winter meer dan dertig centimeter was gegroeid en zo'n vijfentwintig ijswitte rozen tentoonspreidde. De ene muur werd gesierd door potten met witte geraniums en daarnaast prijkte een enorme zilvergrijze struik lavendel, de grootste die ik ooit heb gezien. Rond zonsondergang kwamen er twaalf gasten, gewapend met verrekijkers en camera's, en we hadden ons nog niet op het terras verzameld of er schoot één enkele zwarte gierzwaluw, zo slank als een sikkel, door de lucht en begon allerlei buitelingen boven ons hoofd te maken.

'Dat is de eerste verkenner,' kondigde Robert aan terwijl hij een fles prosecco openmaakte. 'De rest zal nu zo wel komen.' We hieven het glas op de verkenner en zochten toen de wolken af naar de rest van de immigranten. Er ging een uur voorbij en er verscheen niet één enkele zwaluw. Onze vrienden borgen hun camera's op en begonnen over politiek en zomervakanties te praten.

Uiteindelijk besloten we een pizza te gaan eten omdat de vogels kennelijk vertraging hadden opgelopen. Net toen we de deur uit wilden gaan ontstond er opeens tumult boven ons hoofd en kwam er een grote zwerm gierzwaluwen aan getuimeld, regelrecht uit Afrika. We konden ze horen toen ze als gebogen pijlen naar ons toe rolden. En daarna begonnen ze, zoals ze dat de hele zomer iedere avond zouden doen, aan een vliegmanoeuvre in de vorm van een lange achtbaan, waarbij ze aan de westzijde van de piazza begonnen en over het dak van de kerk scheerden, met een bocht langs ons appartement vlogen en weer omhoogschoten in zuidelijke en westelijke richting. Bij iedere bocht in hun cirkel leek het alsof ze tegen een muur zouden botsen, maar ze misten altijd op een paar centimeter na, en hierbij krijsten ze in koor. Er bestaan geen stuntvliegers die dit kunnen verbeteren.

We dronken een laatste glas prosecco terwijl we naar deze demonstratie keken voor we blij naar de pizzeria vertrokken, waar de ober ons vroeg wat al die opwinding te betekenen had.

'We vieren dat de zwaluwen weer terug zijn in Rome,' antwoordde een gast. De ober haalde zijn schouders op. 'Nou en? Die komen toch zeker ieder jaar?'

De vogels zijn niet de enige vreugde die het terras ons biedt. Het fungeert ook als onze achtertuin, ons plekje in de openlucht, en het breidt onze seizoenen uit. Terwijl planten in de openlucht eind oktober uitgebloeid raken, hebben we in de stad vaak met Kerstmis nog geraniums en rozen in bloei. We hebben in het voorjaar ook een voorsprong op het weer. Als we met Pasen naar ons buitenhuis in Canale gaan, hebben we het altijd koud. Maar in de stad besluipt het voorjaar ons op ons beschutte terras soms al in maart, en dan voelen we de warmte van de zon als we buiten lunchen. De witte *Wisteria* op ons terras in Rome bloeit drie weken eerder dan de lavendelkleurige in onze tuin in Canale.

In al onze jaren in Rome zijn we heel gelukkig geweest. We zijn er vaak in geslaagd een kleine huurflat met een terras te vinden. Soms was het terras zelfs groter dan de flat zelf. Onze eerste flat in de buurt van de Piazza Cavour had slechts tweeënhalve kamer, een halve badkamer en een halve keuken. Als we 's avonds de vuilnis buiten wilden zetten, moesten we eerst de wieg van onze dochter de keuken in rijden om de deur open te kunnen doen. Daar stond tegenover dat onze woonkamer uitkwam op een terras ter grootte van een ijsbaan, met een prachtig uitzicht over Prati naar het Castel Sant'Angelo en de geweldige koepel van de Sint-Pieter. Op zaterdagavond werd het castello verlicht als de verjaardagstaart van een maharadja en konden we bijna engelen heen en weer zien vliegen van de kantelen van het oude fort naar de boogbrug, de Ponte Sant'Angelo.

Van Prati verhuisden we naar een flat zonder lift op de derde verdieping op de Piazza Scanderberg, vlak bij de Fontana di Trevi, zodat Robert iedere dag op de fiets naar zijn beeldhouwersatelier op de Via Margutta kon gaan. We moesten er veel trappen beklimmen om boven te komen, maar we hadden er ook een balkon, hoog in de lucht, dat ruim genoeg was voor een tafel met drie stoelen, zodat we tijdens de lunch neer konden kijken op het Quirinale-paleis met zijn tuinen vol palmen. Jenny, die toen acht jaar was, keek altijd of de blauwe vlag vanaf de torentjes van het paleis wapperde, ten teken dat president Cronchi aanwezig was.

We hadden hier ook een panoramisch uitzicht over de Eeuwige Stad. Als we naar het westen keken, konden we de onweerswolken bij Ostia boven de zee zien opkomen. Naar het noorden en oosten konden we de eerste sneeuw van de winter op de bergtoppen zien liggen.

Rome is net één grote cocon. De stad ligt in een knusse rivierbedding, met aan de ene kant de zee als beschutting en aan de andere de Apennijnen, zodat er een soort ingebouwde bescherming is waar slechts weinig hoofdsteden op kunnen bogen. Vanuit het westen vormen vloedgolven geen bedreiging (de zee bij Ostia ligt op een veilige afstand van bijna vijfentwintig kilometer) en in het noorden en oosten wordt de stad door een rij heuvels tegen wind en sneeuw beschermd. Zelfs de centrale rivier, de Tiber, die vroeger om de paar jaar met dodelijke gevolgen buiten zijn oevers trad, heeft nu hoge, overstromingsvrije kades en lijkt dus eerder een enorm ondergronds kanaal dan een levende watermassa.

De akelige dingen die zich in de rest van Italië voordoen, zoals overstromingen, aardbevingen en vreselijke sneeuwstormen, komen in Rome niet voor. Er zijn geen dreigende, grommende vulkanen, zoals in Napels en Catania, en hoewel de stad volgens de gegevens op een aardbevingszone ligt, heeft zich sinds de dagen van

Julius Caesar geen beving meer voorgedaan. Het Colosseum en het Forum vervallen tot puin, maar het grootste deel van deze verwoesting werd door bouwers uit de Renaissance veroorzaakt, omdat die het oude marmer voor hun nieuwbouw gebruikten.

Rome is niet alleen mooi, het is ook intiem en vriendelijk. Je wordt niet geconfronteerd met torenhoge constructies van glas en staal. Afgezien van de Sint-Pieter zijn er zelfs geen hoge gebouwen te vinden. Als een oud gebouw moet worden opgeknapt, is de regel dat het interieur kan worden gemoderniseerd maar dat de gevel in de oorspronkelijke staat moet blijven.

Veel van de met keien bestrate wegen die de Romeinen tweeduizend jaar geleden hebben aangelegd, zijn nog steeds in gebruik. Ze zien er mooi schilderachtig en rustiek uit, maar ze zijn volkomen ongeschikt voor het hedendaagse verkeer. De Romeinen rijden nu met duizenden auto's en motorfietsen door straten die voor enkele honderden paard-en-wagens waren bedoeld, zodat overdag het verkeer langzamer vooruitkomt dan iemand te voet. Ik heb een vrouw gezien die in een rolstoel heel wat sneller over de Via Sistina werd geduwd dan dat de auto's er vooruitkwamen. Vroeg of laat moet dit spaak lopen. En wanneer deze onvermijdelijke blokkering ontstaat, wat nu bijna iedere dag het geval kan zijn, zal Rome dat doen wat het dertig jaar geleden al had moeten doen: het zal weer een stad van wandelaars worden met brede trottoirs en veel parken.

Van alle prachtige steden in de wereld denk ik dat Rome het langst de meest geliefde stad voor het grootste aantal mensen is. Volgens de *Aeneïs* van Vergilius belandde Aeneas na de val van zijn geboortestad Troje en een reeks romantische belevenissen in Carthago in Rome. Zijn nakomelingen hebben naar verluidt de beschaving gesticht die het Romeinse Rijk werd genoemd, hoewel Vergilius geen poging doet uit te leggen welk verband, hoe dan ook, er tussen zijn mythische Aeneas, de stichter, en de al even mythische stichtingsbroers Romulus en Remus heeft bestaan.

Daarna kwam Hannibal, waarschijnlijk het grootste militaire genie uit de Oudheid, die een groot deel van zijn loopbaan besteedde aan pogingen om Rome te veroveren. Een andere beroemde persoonlijkheid uit Noord-Afrika, koningin Cleopatra van Egypte, had eveneens een niet-zo-geheime begeerte naar Rome en de Romeinen. Eerst had ze een liefdesaffaire met Julius Caesar en reisde ze met hem naar Rome, waar ze in triomf de Tiber op voer, een gebeurtenis die in schitterend Technicolor door Elizabeth Taylor is nagespeeld. Toen Julius Caesar was vermoord, keerde ze terug naar Egypte, waar ze binnen de kortste keren de bondgenoot en maîtresse van Caesars vertrouweling, Marcus Antonius, werd. Hun relatie was hoogst impopulair bij de Romeinen en vooral bij Caesars adoptiefzoon Octavianus, die hun verbintenis als een bedreiging voor zijn politieke ambities beschouwde. Hij verklaarde Antonius en Cleopatra de oorlog en hun strijdmachten werden in 31 v.Chr. bij Actium verslagen. Na deze nederlaag pleegde Marcus Antonius zelfmoord. Cleopatra probeerde zonder succes Octavianus te verleiden, maar toen haar charmes hun doel misten, maakte ze een eind aan haar leven door zich bloot te stellen aan de beet van een adder.

Twee van de grootste heiligen van het christendom, Petrus en Paulus, reisden als zendelingen helemaal van het Heilige Land naar Rome, en beiden werden door de tiran Nero voor hun moeite beloond met een terechtstelling. De stoffelijke resten van Petrus zijn naar verluidt begraven op de plek waar later de basiliek van Sint-Pieter, de grootste aller christelijke kerken, is gebouwd.

Tijdens de Middeleeuwen en de Renaissance trokken reizigers nog steeds in groten getale naar Rome, hoewel de meesten van hen niet het gruwelijke lot was beschoren dat zoveel vroege christenen ten deel viel. Velasquez kwam de Romeinse pausen en prinsen schilderen, evenals El Greco, en Corot maakte veel tekeningen van het klassieke landschap.

Napoleon bezette Rome op 2 februari 1808, en hij stelde zijn broer aan als koning van Napels. Zijn zuster, de beeldschone Paolina, trouwde in bij een van de adellijke Romeinse families, de Borgheses, en leidde een weelderig bestaan in het Palazzo Borghese (aan de overkant van de straat waar wij nu wonen). Ze schijnt een vrouw van zulke goddelijke proporties te zijn geweest dat de beeldhouwer Canova haar als een topless Venus uit marmer heeft gehakt. Toen een geschokte vriendin haar vroeg hoe ze naakt voor die grote kunstenaar had kunnen poseren, antwoordde de dame dat het geen probleem was, aangezien het atelier verwarmd was.

Anderen die Rome kwamen bekijken en daar bleven, waren de dichters Keats en Shelley. Goethe was een van de meest enthousiasten onder de Duitse intellectuelen die de warmte van de Italiaanse zon zochten, en na hem kwamen er schrijvers bij de vleet: Henry James, Mark Twain, Edith Wharton, Thomas Mann, Ernest Hemingway, Sinclair Lewis en Tennessee Williams. En ze waren allemaal dol op Rome.

De enige man die wonderlijk onwillig was Rome naar waarde te schatten was Sigmund Freud. Zijn biografen vertellen ons dat hij diverse keren van plan was een reis naar Rome te maken vanuit zijn huis in Wenen (wat tenslotte een eenvoudige treinreis was), maar dat hij dan opeens zijn plannen afblies zonder daar een verklaring voor te geven. Niemand blijkt enig idee te hebben van de oorzaak van deze vreemde tegenzin.

Was hij ziek? Leed hij aan een fobie voor reizen? Maakte hij zich zorgen omdat hij geen collega's had in Rome, en geen volgelingen die daar aan zijn theorieën werkten? Of was hij bang dat zijn ontdekking, het praten als geneesmiddel voor geestesziekte, niet in goede aarde zou vallen bij de Italianen, die toch al veel praatten, niet om therapeutische redenen maar gewoon voor de gezelligheid of om hun familie te amuseren? Aangezien hij gewend was met patiënten uit noordelijke streken te werken – met Duitsers, Oostenrijkers, Engelsen en Amerikanen, die de naam hadden introvert of geremd, vol angsten en seksuele remmingen te zijn – was hij misschien bang in Rome als zonderling te worden beschouwd. Wat kon een man die gespecialiseerd was in de kwellingen van het menselijke onderbewuste te bieden hebben aan een volk dat volkomen zelfverzekerd, extravert en zonder complexen leek?

De Romeinen behoren tot de grootste Rome-enthousiastelingen. Neem bijvoorbeeld de taxichauffeur die ons van het vliegveld haalde na een vakantie in Londen, waar het iedere dag had geregend. We merkten op dat het prettig was de zon weer te zien.

Hij draaide zich om, zodat hij ons kon aankijken. 'Maar natuurlijk,' zei hij. 'Rome is de plaats waar je moet zijn. De oude Romeinen waren niet gek. Ze heersten over de hele wereld. Ze hadden ergens anders een nieuwe hoofdstad kunnen maken – in Egypte, in Londen, of zelfs in Parijs als ze dat hadden gewild. Maar ze bleven liever hier.'

Wat de burgers van Rome betreft, die schijnen de bezoeker heel minzaam toe jegens vreemdelingen, maar achter hun glimlach schuilt een zekere afstandelijkheid. Ze kunnen je koffie aanbieden bij een koffiebar, maar ze zullen je niet snel bij hen thuis uitnodigen, en zelfs als je hen thuis opzoekt, zul je er moeite mee hebben hen te vinden, aangezien ze weinig zin hebben hun naam naast de bel te zetten.

Hetzelfde streven naar anonimiteit geldt voor hun gedrag met betrekking tot hun telefoon. Veel Romeinen hebben een geheim nummer. Meteropnemers hebben er de grootste moeite mee om bij iemand binnen te komen. Bij een volkstelling hebben de tellers een overeenkomstig probleem, omdat geen enkele Romein ook maar enige zin heeft om tegenover een vreemde de details van zijn afkomst of zijn dagelijks leven te onthullen, laat staan die van zijn jaarlijkse inkomen.

Het gedrag van de Romeinen staat bol van de tegenstellingen. Ze volgen de laatste mode, maar ze klampen zich ook vast aan oude vooroordelen. Er was een tijd – ergens in de welvarende jaren tachtig – dat zwarte overjassen de grote mode waren en iedereen er als een begrafenisondernemer bij liep. Het volgende jaar was het kamerbreed groen loden. Sinds de millenniumwisseling dragen vrouwen korte blouses of jasjes op heel strakke broeken, en naaldhakken die tussen de straatkeien blijven steken. Comfort is niet belangrijk.

Maar zoals ik al heb opgemerkt, kunnen Romeinen heel traditioneel zijn. Ze zijn bang voor tocht en ze zijn ervan overtuigd dat iedere luchtstroom een longontsteking kan veroorzaken. Omdat ze rooms-katholiek zijn opgevoed, worden ze geacht in de kerk te trouwen, met de bruid in een trouwjurk die evenveel kost als een Alfa Romeo. Toch zijn 's zondags de kerken vaak leeg, komen de priesters veelal uit Polen of Hongarije, en heeft Italië het laagste geboortecijfer van Europa en een van de hoogste percentages abortussen.

Romeinen zijn tot in het diepst van hun hart anti-overheid en ze bestrijden alle officiële pogingen tot inbreuk op hun persoonlijke levenssfeer of hun portemonnee. Maar als ze een VIP-connectie kunnen gebruiken en een 'aanbeveling' krijgen voor een plaats in de overheidsbureaucratie waar ze schappelijke werktijden, zes weken vakantie en een goudgerand pensioen hebben, vergeten ze hun weerzin en gebruiken ze hun ellebogen om die positie te bemachtigen.

Net als de Spanjaarden en de Fransen gaan alle Italianen ieder jaar op hetzelfde moment met vakantie, in de maanden juli en augustus. Dus staat er ieder jaar in het eerste en het laatste weekend van juli, en opnieuw in het eerste en het laatste weekend van augustus, twintig of dertig kilometer file bij de tolpoorten van de *autostrada*. Urenlang staat het verkeer in noordelijke en zuidelijke richting op de Autostrada del Sole volledig stil. Helikopters die eroverheen vliegen maken vol leedvermaak melding van de ergste verkeersopstoppingen van het jaar en de woedende automobilisten schudden hun vuist en maken gebaren naar de hemel, terwijl ze zweren dat ze nooit meer om deze tijd van het jaar met vakantie zullen gaan. Maar het volgende jaar zijn de files nog langer.

Eén reden hiervoor is dat de meeste Italianen het niet erg vinden als het ergens druk is. Ze zijn geen solitair volk. De aanblik van een Italiaanse man of vrouw die over een eenzaam stuk strand loopt is echt heel zeldzaam. Ze liggen graag ribbenkast aan ribbenkast naast elkaar op het strand, en als dit nog niet dichtbij genoeg is, dan bil aan bil. Ondanks de tegenzin om persoonlijke gegevens te onthullen, bestaat er in het Italiaans geen woord voor 'privacy'.

Ze hebben ook traditionele eetgewoonten. Wanneer ze in een *trattoria* bij hen in de buurt eten bestellen, proberen ze rechtstreeks met de kok te onderhandelen, waarbij ze exact aangeven hoeveel minuten de risotto of de spaghetti moet koken en hoe lang het vlees moet worden gegrild. Ze specificeren precies welke groenten er in de groene salade dienen te gaan.

Ze zijn nog zorgvuldiger als het om hun gezondheid gaat. Er bestaat geen land ter wereld dat meer hypochonders telt dan Italië. Het publiek voor de drie verschillende gezondheidsprogramma's op de tv loopt in de miljoenen. Toen de ziekte BSE toesloeg, daalde de Italiaanse rundvleesconsumptie binnen enkele dagen met 80 procent. Toen de Tsjernobyl-kernreactor in Rusland lekte, wilde maandenlang niemand in Rome ook maar één blaadje sla eten. Tot dusver is er in Italië geen enkel geval van anthrax gemeld, maar de eerstehulpposten in Rome beweren dat ze maandelijks verscheidene gevallen van 'verdenking van anthrax' moeten verwerken.

Ondanks dit alles is Rome meer dan veertig jaar ons thuis geweest. Aan Rome heb ik de inspiratie te danken voor alles wat volgt.

2

De familie Cook verhuist

DE FAMILIE COOK ZOU VERHUIZEN. WE TROKKEN UIT ONS OUDE onderkomen in de buurt van de Fontana di Trevi naar een grotere flat die we in een zestiende-eeuws palazzo op de Piazza Borghese hadden gevonden. Het zou onze eerste flat met een echt terras zijn.

Jenny van acht en onze nieuwe *tuttofare* (dienstmeisje-voor-van-alles) Gina waren in de verhuiswagen meegereden om onze voorraad boeken, pannen en meubels uit te laden. Robert zou weldra met onze Morris Minor komen, met beeldhouwwerken die in dekens waren gewikkeld en met het familiezilver en een paar citroenbomen die onze verhuizers weigerden te versjouwen. Aangezien er voor mijn zoontje Henny van één jaar oud en voor mij geen plaats in verhuiswagen of auto was, had ik besloten er met hem in de wandelwagen heen te lopen, terwijl ik in het voorbijgaan een muntje in de Trevi-fontein zou kunnen werpen.

We hadden net de grote poort van Piazza Borghese 91, ons nieuwe thuis, bereikt, toen Jenny vanaf tweehoog omlaaggeld kwam om ons te begroeten.

'Kom maar gauw boven,' zei ze. 'De verhuizers staan tegen Gina te schreeuwen. Ze zeggen dat ze alles gewoon in de hal neerzetten en dan weggaan. Gina staat te gillen dat ze de *carabinieri* zal bellen om ze naar de gevangenis te sturen.'

Ik wist dat Jenny niet overdreef, want Gina, een gezette, bazige Romeinse vrouw van half veertig, bezat een opvliegend temperament en het vermogen met verbluffende behendigheid van de ene stemming naar de andere over te schakelen. Als ze eenmaal op dreef was, nam met de seconde het volume en de intensiteit van haar stem toe, en ook al stond ik op de benedenverdieping, toch kon ik haar op de tweede verdieping tegen de mannen tekeer horen gaan. Diverse bewoners van het gebouw hadden hun deur op een kier gezet om alles goed te kunnen volgen.

'Onze voordeur is groot genoeg,' protesteerde ik tegen Jenny. 'Ze hoeven alleen maar de andere helft open te doen om alles naar binnen te kunnen krijgen.'

'Het gaat niet om díé deur,' verklaarde Jenny. 'Het gaat om de kleine deur vanaf de grote hal naar de gang. De eerste deur is groot genoeg, maar de tweede niet. De bank is erin blijven steken.'

Ik pakte Henry op en liep haastig de trap op naar de tweede verdieping.

Het tafereel in onze nieuwe flat had er een van de Marx Brothers kunnen zijn. De twee grote toegangsdeuren stonden wijd open en al het meubilair was in de vestibule geplaatst: twee banken, een *armadio* of kleerkast, een grote eettafel met acht stoelen, en een gigantische Amerikaanse koelkast die we tweedehands hadden gekocht van iemand op de Amerikaanse ambassade die naar Afrika werd uitgezonden (hij dacht misschien dat de koelkasten daar aan de bomen groeiden).

Onze vrij kleine gele bank was op zijn kant gezet en de twee forse verhuizers, Enzo en zijn broer Filiberto, probeerden hem zijdelings door de smalle deur te krijgen. Daarna probeerden ze hem er op zijn kant door te duwen. Maar de deur naar de woonkamer van de flat was veel te klein. Er was geen beweging in de bank te krijgen.

Gina had zich pal achter de twee mannen opgesteld om te voorkomen dat ze het opgaven.

'Als jullie 'm er niet doorheen krijgen, stelletje *cretini*,' brulde ze, 'kunnen jullie op z'n minst de deur uit de scharnieren lichten en het daarna nog eens proberen.'

Enzo en Filiberto keken haar woest aan. Ze vonden het helemaal niet leuk om voor idioten te worden uitgemaakt. Maar ze kwamen beiden uit Trastevere, en jongemannen uit Trastevere waren vrouwen als Gina gewend. Hun moeders, hun tantes en hun buurvrouwen zagen er net zo uit als Gina, en ze gedroegen zich ook zo. Uiteindelijk zouden ze zelfs – mochten de heiligen hen beschermen –

wellicht met een vrouw als Gina trouwen.

'Maar signora,' kreunden ze, 'zelfs met de deur eruit zal de *divano* er niet doorheen kunnen. En als we zo vrij mogen zijn – *parlando con rispetto* – het is toch een oud en aftands ding.'

Ze spraken het woord *signora* op enigszins sarcastische toon uit. Gina betitelde zichzelf trouwens ook als signora, ondanks het feit dat ze nooit was getrouwd. Haar redenering was dat de titel haar meer gezag gaf bij haar onderhandelingen met achterbakse winkeliers, omkoopbare autoriteiten in de gezondheidszorg, belastingambtenaren en alle boosaardige bureaucraten binnen het Italiaanse pensioensysteem.

Ik probeerde de zaak tot bedaren te brengen. 'Waarom proberen jullie het niet gewoon, heren? Die deur gaat heel gemakkelijk uit de scharnieren.' Nu was het mijn beurt om misprijzende blikken van de broers in ontvangst te nemen. Ze richtten hun grote, glinsterende ogen op mij.

'Maar signora,' fluisterden ze, 'de deuropening is veel te smal. We hebben minstens tien centimeter meer nodig om dat verrekte ding erdoorheen te krijgen.'

'Waarom probéren jullie het niet?' fluisterde ik terug.

Ze haalden diep adem, lieten de bank los en haalden de deur uit de scharnieren. Daarna gingen ze de deurloze ruimte opnieuw met de bank te lijf.

Ik draaide me om, teneinde niet nog meer misprijzende blikken toegeworpen te krijgen, precies op tijd om een grote boom door de voordeur te zien komen. Robert kwam binnengewankeld met de eerste van de geruchtmakende citroenbomen.

Gina schoot toe om hem te helpen. 'Signor Roberto, deze *farabutti* [schoften] weten niet eens hoe ze een bank naar binnen moeten brengen.'

Robert, die bij al het pakken en verhuizen een verbluffende kalmte had weten te bewaren, overzag de situatie bij de deur en knikte naar Enzo. 'Je hebt gelijk,' zei hij. 'Die bank kan er nooit doorheen. Laten we hem maar gewoon weggooien.'

'Maar Robert, hij is heel mooi. Ik heb die gele bekleding er zelf op gemaakt.'

'De enige manier om hem erdoorheen te krijgen is de poten ervanaf te zagen,' concludeerde Robert.

Hij legde de mannen dit idee voor en Enzo liep naar zijn gereedschapskist om een roestige handzaag tevoorschijn te halen.

Vijf minuten later was de bank van alle houten poten ontdaan, zonder verdere omhaal door de gang gesleept en in de zitkamer gedumpt.

Robert bekeek de bank, die nu laag op de vloer leek te hurken. 'We kunnen ook de poten van de salontafel afzagen, wierook branden en mah-jong gaan spelen.'

Hoe kon een gebouw uit de Renaissance zo'n smalle deuropening hebben? Alle kamers waren immers groot genoeg voor een bank, een grote televisie en een nog grotere koelkast. Het antwoord is dat renaissancepaleizen in vierkanten of rechthoeken zijn gebouwd, met een open binnenplaats in het midden en met woonvertrekken er in clusters omheen. Deze vorm, die ik in gedachten als een soort vierkant zwemband zie, is een ontwerp dat tot in de Oudheid teruggaat. De bewoners kwamen deze binnenplaatsen binnen vanuit een brede poort, of *portone*, aan de straat, die dikwijls breed genoeg was om een rijtuig door te laten. Er was een kleinere houten deur in uitgespaard waardoor leveranciers hun verse waren zoals melk en eieren konden bezorgen. In de Renaissance waren deze binnenplaatsen op de begane grond vaak met tegels of keien geplaveid, en er was vaak ook een fontein waarin de mensen uit de buurt hun kleren konden wassen.

In de meer elegante palazzi zoals dat van ons was de benedenverdieping de *piano nobile*, en hier waren de plafonds hoog, de ramen groot en was het houtwerk van notenhout. Pas later ontdekten we dat ons palazzo veel belangrijker was dan we aanvankelijk hadden gedacht: het was ooit het huis van de beroemde kardinaal Camillo Borghese geweest, die in 1605 tot paus werd gekozen en de naam Paulus V (over wie later meer) aannam.

De bovenverdiepingen van ons gebouw waren in kleinere eenheden verdeeld, voor personeel of familie. Deze appartementen konden via trappen worden bereikt, maar om binnen te komen moest iedere bewoner (met zijn bagage) door een smalle deur naar de galerij die erachter lag. De kamers die op deze open galerij uitkwamen waren groot genoeg om een paar bedden, wat stoelen en een tafel te bevatten, en misschien een *armadio* en een klein bureau.

De toiletten in dit soort renaissancepaleizen, als ze daar al aanwezig waren, waren verbannen naar het eind van de galerij, zodat één enkele afvoerpijp voor het hele gebouw kon dienen. Als er geen ruimte voor was, maakten sommige zestiende-eeuwse aannemers een speciaal toiletbalkon dat boven de straat uitstak, met afvoerpijpen die op de weg uitkwamen. In onze flat beschikken we over een gewone badkamer met alle noodzakelijke sanitaire voorzieningen, maar daarnaast hebben we een tweede antiek toilet met een gootsteen op een klein balkonnetje naast de keuken. Wanneer we over de straat uitkijken, zien we dat diverse gebouwen kleine toiletbalkons hebben die uit de gevel steken, het ene boven het andere, als een dubbeldekker, zonder enige zichtbare ondersteuning van het geheel.

Primitief of niet, de kleinere kamers in deze renaissanceflats waren helemaal niet ongeriefelijk. Bij koud weer konden ze verwarmd worden door een houtvuur of een vuurpot, en omdat iedere kamer aan de ene kant een deur had die naar het balkon openging en aan de straatzijde een groot raam, kon op warme zomeravonden alles tegen elkaar worden opengezet om de koelere nachtlucht te laten circuleren. Dit systeem werkt nog steeds geweldig en maakt airconditioning in gebouwen als dat van ons overbodig.

Het grote geluk was dat ons appartement voorzieningen had die in de rest van het gebouw niet werden aangetroffen. De twee laatste kamers langs de galerij waren door een ondernemende huurder samengevoegd, zodat we een royale zit- en woonruimte hadden, met licht uit drie ramen tot op de vloer. Het laatste raam in deze mooie kamer was veranderd in een deur, met twee treden die omlaagvoerden naar een geplaveid plat op het zuiden. Dit geweldige dakterras was kennelijk nog nooit voor het kweken van bloemen gebruikt, maar het had een bakstenen muur langs de rand. Het enige wat ontbrak waren een tuinslang en wat zaden om er een terras van te maken.

Het uitzicht vanuit onze op het zuiden gerichte ramen was leuk, en was typerend voor Rome. Aan de overkant van de straat stond de mooie Chiesa del Divino Amore met het lage, hellende dak met verweerde roze dakpannen en een sierlijke klokkentoren met ingelegd blauw mozaïek. Aangezien de kerk onze naaste buur is, op zo'n tien meter van onze ramen op de tweede verdieping, kunnen we alles zien wat daar gebeurt. We zien de grote witte kat die soms achter de nok van het dak in elkaar duikt, in de hoop een duif te vangen. We zien ook de kerkmuizen die de broodkruimels komen eten die onze buren daar strooien.

We hebben goed zicht op het kleine terras naast het dak van de kerk, zodat we de nonnen zien die regelmatig de bloemen in de bakken voor het raam komen bijknippen en water geven. Ze hangen er hun lange zwarte gewaden te drogen en ook de kleding van de priester, inclusief zijn overhemden, soutane en paarse sokken, die hij misschien ooit heeft gekocht in de hoop tot kardinaal te worden benoemd. Maar in onze vele jaren tegenover het dak van de kerk hebben we nooit de priester zelf zijn wasgoed buiten zien hangen.

De kerk mag dan tegenwoordig de Chiesa del Divino Amore heten, een plaquette op de muur vertelt ons dat deze in 1131 aanvankelijk was vernoemd naar Santa Cecilia, een christelijke martelares die zich in de derde eeuw tot het christendom bekeerde en die eveneens haar man Valerius en haar zwager wist te bekeren. Voor haar zonden werd de arme vrouw in haar eigen stoomkamer opgesloten om daar te sterven, maar door een wonder overleefde ze dit en kwam ze zingend uit haar gevangenis tevoorschijn. Om deze reden werd ze de beschermheilige van de muziek. Na deze beproeving probeerden haar vijanden haar te onthoofden, maar die maakten daar een rommeltje van – in de drie gruwelijke dagen dat ze lag te sterven wist ze nog eens vierhonderd Romeinen tot het christendom te bekeren. Ze vermaakte haar paleis aan de kerk van Santa Cecilia in Trastevere. Onze kleine buurtkerk, de Chiesa del Divino Amore, werd eveneens aan haar gewijd, omdat men geloofde dat deze precies op de plek stond waar Cecilia's ouders ooit hadden gewoond.

Maar hoe kon de beschermheilige van de matrasarbeiders en voddenopkopers, San Biagio, in 1525 de tweede schutspatroon van het kerkje worden? Dat was gedeeltelijk een kwestie van geografie. In de Middeleeuwen stond onze wijk rond de Piazza Borghese bekend als Puzzerato (*puzzo* betekent 'stank'), omdat deze zo dicht bij de rivier de Tiber lag, die als riool en vuilstortplaats werd gebruikt.

30

Uit oude gegevens blijkt dat de armenwijk en de stadsgevangenis ook op de oevers van de Tiber waren gesitueerd, samen met veel andere kwalijk riekende ondernemingen, zoals slachthuizen en leerlooierijen.

De matrasschoonmakers vestigden zich eveneens in onze buurt. Het waren arme arbeiders die met kaardgereedschap vol scherpe spijkers op hun schouders door de stad trokken. Ze hadden als taak vuile en hobbelige wollen matrassen te verzamelen – die vaak niet fris meer roken – en ze schoon te maken en de wol ervan te kaarden, zodat ze weer fris en donzig waren. De matrasmannen, die nog steeds in sommige delen van de stad hun beroep uitoefenen, klaagden vaak dat hun werk zo smerig was. Zoals een ongelukkige matrassenman uit 1589 klaagde:

Io materasse fo l'anno un migliaro
Ne pur in borsa mi trovo un dinaro.

Vrij vertaald staat hier:

Ik heb duizend matrassen per jaar gekaard
Maar in mijn beurs wordt nooit geld vergaard.

Om deze onfortuinlijke kerels tegemoet te komen besloot het kerkbestuur van Santa Cecilia's kerk deze te wijden aan de Broederschap van de Matrasarbeiders en hem te vernoemen naar de martelaar en matraswerker San Biagio. Men had hem vermoord door hem met een kaardstok aan stukken scheuren. Sommige meer traditioneel ingestelde kerkbestuurders klaagden dat het niet eerlijk was Cecilia aan de kant te zetten, en uiteindelijk werd besloten de twee martelaren, Cecilia en Biagio, tot gezamenlijke schutspatronen van de kerk te benoemen.

Hoewel een historisch verband tussen deze twee ontbreekt, beeldde Michelangelo – een man die zich niet overmatig om details bekommerde – bij het schilderen van zijn fresco *Het laatste oordeel*, in de Sixtijnse Kapel, San Biagio af met kleren die door zijn vijanden waren weggescheurd, terwijl hij neerkeek op een ongeklede Santa Cecilia, die voor haar rommelige onthoofding op een wiel lag uitgestrekt. Paus Paulus III was ontzet toen hij deze twee heiligen in Adam- en Evakostuum op de muur van de heilige Sixtijnse Kapel zag, en het slot van het liedje was dat Michelangelo het bevel kreeg iets van het pleisterwerk weg te schrapen, zodat de arme Cecilia met een grof kleed kon worden bedekt terwijl Biagio zijn hoofd afgewend hield, zodat hij, zelfs als hij daar de neiging toe voelde, haar verfomfaaide gestalte niet kon zien.

Sinds die dagen heeft de kerk talloze gedaanteverwisselingen ondergaan, maar in 1802 werd hij in gebruik genomen door de broederschap van de Madonna del Divino Amore, die het gebouw tot op de dag van vandaag onderhoudt. Tot voor kort, toen er een disco en een chic Venetiaans restaurant met een lawaaierige keuken werden gevestigd, wist het steegje achter ons huis een zeker decorum te bewaren, dat slechts één keer per maand werd verbroken door een krankzinnige die kort na middernacht voorbijkomt om stenen naar de kerk te gooien en te schreeuwen: '*Gesuiti falsi!*' We hebben geen idee waarom hij zo kwaad is op de jezuïeten of waarom hij ons kerkje met de jezuïetenorde in verband brengt.

3

Het dagelijks leven

ONZE HUISHOUDSTER GINA HAD PAS EEN HALFJAAR VOOR ONS GE-
werkt toen we in het voorjaar van 1960 naar de Piazza Borghese
verhuisden, maar ze was al een belangrijk lid van onze familie geworden. Ik herinner me nog goed die eerste keer dat ze voor een
sollicitatiegesprek de trappen op kwam, toen we nog in onze oude
flat op de Piazza Scanderberg woonden.

Ze was een gezette vrouw van half veertig, nog net geen een meter vijftig lang, en woog meer dan honderd kilo. Ze droeg haar ge-
wicht voor zich uit, wat haar een enigszins onevenwichtig uiterlijk
gaf. Omdat ze hevig hijgde na haar klim naar de vierde verdieping,
vroeg ik haar te gaan zitten. Ze liet zich behoedzaam op een stevige
houten stoel zakken en zette haar voeten voor de stabiliteit wijd uit
elkaar.

Ze droeg een gebloemde jurk van donkerblauw met bordeaux-
rood, het soort met knopen aan de voorkant en veel zakken. Je ziet
ze op Italiaanse markten en ze werden vroeger in Engeland als
'mouwschort' verkocht. Sommige Italiaanse vrouwen uit de provincie lopen er jaar in jaar uit mee, en trekken hem alleen uit als ze
zich netjes maken om naar een bruiloft of een begrafenis te gaan.
Als het een bruiloft is, dragen ze hun mooie jurk tot de plechtigheid
achter de rug is, en daarna trekken ze een mouwschort aan om in de
keuken te helpen.

Als accessoires had Gina een grote zwarte tas, die zijn leven wellicht ooit als krokodil was begonnen, en een paar splinternieuwe en
nogal krappe zwarte schoenen, die ze alleen droeg als ze bood-

schappen ging doen. Ik wist, ook al hebben we het daar nooit over gehad in de jaren dat ik haar kende, dat ze ook nieuw zwart ondergoed van kunstzijde droeg, inclusief een zwart op maat gemaakt korset, een zwarte onderbroek en een onderrok met een rand van fabriekskant. Al dit moois was voor het geval ze op de Via del Corso door een vrachtwagen werd aangereden en naar het ziekenhuis zou worden gebracht, waar gehavend of versleten ondergoed haar voor altijd te schande zou hebben gemaakt.

Ik had dit verhaal over het ondergoed van haar oudere zuster, die het eveneens droeg. Dat was een indrukwekkende vrouw met de naam Euleuteria, die Gina vooraf was gegaan door af en toe op te passen. Euleuteria was trouwens degene die had geopperd dat Gina misschien wel onze huishoudster wilde worden als we naar de Piazza Borghese verhuisden.

Ze legde me uit dat Gina als jongste dochter in een gezin met acht broers en zusters in Frascati, even ten zuiden van Rome, was voorbestemd om thuis te blijven en haar ouders te verzorgen wanneer die hulpbehoevend werden. Dit was geen ongewone regeling in grote gezinnen in het zuiden en Gina had deze extra verantwoordelijkheid goedmoedig op zich genomen. In de oorlogsjaren had ze het gezinsbudget helpen vergroten door zwarte handel in boter en eieren, waarbij ze producten van boerderijen meenam om aan rijke Romeinen te verkopen. Maar toen haar ouders eenmaal dood waren, voelde ze zich niet verplicht om voor eeuwig als slavin van de familie te blijven fungeren. Eén broer, een welgestelde bakker, scheen van haar te verwachten dat ze iedere vrijdag en zaterdag in zijn winkel in Albano kwam helpen om extra *maritozzi* (zoete broodjes) en *ciambelle* (donuts) voor de weekendmarkt te maken. Doordeweek merkte Gina dat haar talloze nichtjes en neven verwachtten dat ze zich regelmatig bij hen zou melden om met schoonmaken, wassen, koken en babysitten te helpen, alles zonder enige betaling.

Euleuteria en Gina besloten dat dit soort familiale afhankelijkheid ontmoedigd diende te worden. In plaats van voor haar familie te werken kon ze beter een baan nemen bij een gezin waar ze fatsoenlijk betaald werd, die haar meteen een goed excuus zou bieden om niet ergens anders te hoeven werken.

Ik voelde me van het begin af aan tot Gina aangetrokken door een zekere vonk van opstandigheid in haar ogen. Ik kon me haar heel goed voorstellen zoals ze in oorlogstijd door Rome reed in een oude streekbus, met onder haar arm een kartonnen zwartehandels-koffer vol boter en eieren, met daarnaast stukken *caciotto*-kaas en blikken donkergroene olijfolie.

We hadden nog geen tien minuten met elkaar gepraat of er werd besloten dat ze onmiddellijk aan het werk zou gaan. Ik legde haar uit dat haar taken bestonden uit het schoonhouden van het huis, ie-dere morgen de bedden opmaken, boodschappen doen en eten ko-ken. Ze bood aan om als ze 's middags tijd overhad met Henry in de wandelwagen naar de royale tuinen rond het Castel Sant'Angelo, aan de overkant van de rivier, te gaan.

De volgende dagen kreeg ik een voorproefje van Gina's vaardig-heden. Ze kon de beste spaghetti koken die er bestond en haar spa-ghetti alla carbonara (een *carbonaio* is een houtskoolbrander) was een absolute topper. Eerst kookte ze de spaghetti en bakte ze wat spek uit. Het spek ging in een kom, samen met een paar losgeklop-te eieren. Daarna voegde ze dampende spaghetti toe, mengde alles goed, strooide er wat geraspte pecorino overheen, en klaar was de lunch. Dit gerecht vindt veel aftrek onder houtskoolbranders, die in de bossen werken om houtskool te maken door bomen te verbran-den. Het enige dat deze mensen nodig hebben is een handje spa-ghetti, een stuk spek en een paar eieren, en ze kunnen eten.

Gina gebruikte een braadpan of *padella* voor al het andere in de keuken. Ze braadde varkensvlees, rundvlees, kippen, aubergines, artisjokken en vis. Als we groene bladgroenten hadden, zoals spina-zie of snijbiet, kookte ze die eerst tot ze slap waren, en daarna kie-perde ze alles in de *padella* om te bakken in de olijfolie met knoflook. Veel restaurants in Rome maken hun groenten nog steeds op deze manier klaar. Al deze nadruk op de bovenkant van het fornuis kwam voort uit het feit dat Gina's familie nooit een oven had bezeten.

Haar vaardigheden bij het schoonmaken waren beperkt, omdat ze zich niet kon bukken of omhoog kon reiken. Ze kon zich niet ver genoeg uitrekken om spiegels of schilderijen of hoge ramen schoon te maken, en ze kon de vloer alleen maar doen door een zwabber te gebruiken. Maar net als de meeste Italiaanse vrouwen vond ze dat een schone vloer het equivalent is van een schoon huis. Dus schoof ze rond met onder haar voet een flanellen doek die het stof van de vloer moest opnemen, en ze was ook urenlang in de weer met een stuk katoen dat een *straccio* of lap heet en dat om een bezem, of *pala*, was gebonden waar de stekels vanaf waren gehaald.

Ze was ook een expert in het opmaken van bedden en ze klopte de lakens en dekens iedere morgen woest uit over de vensterbank. Als ze het bed weer opmaakte, stopte ze alles zo strak in dat het je moeite kostte om in bed te komen en het je omdraaien een probleem werd. Ze was ook uitmuntend in het strijken, wat misschien geen verbazing wekt omdat ze honderd kilo stevige spieren in de strijd wierp, zodat alles wat ze te lijf ging, van lakens tot truien, van onderbroeken tot blouses met strookjes, zo plat als een scholletje onder het ijzer vandaan kwam.

Maar Gina's grootste en meest onverwachte gave betrof de externe relaties. Ze benoemde zichzelf tot onze belangrijkste poortwachter, boodschappenspecialist en algemeen ambassadeur voor de buitenwereld. Om er zeker van te zijn dat andere mensen ons met gepaste eerbied behandelden, gaf ze Robert de titel van *Il Maestro*, en ik werd *La Dottoressa*. Zelfs Jenny van acht werd *La Signorina*. En zoals ik al vertelde, betitelde ze zichzelf bij officiële gelegenheden als *La Signora*.

Van Italië tot Groot-Brittannië willen de sociologen de Italiaanse maatschappij typeren als een maatschappij die het midden houdt tussen de twee tegengestelde polen van *familismo*, familiegericht gedrag, en *clientelismo*, een systeem waarbij mensen vooruitkomen dankzij aanbevelingen van belangrijke anderen. *Familismo*, soms ook wel *familismo amorale* genoemd, is een systeem waarbij leden van een hechte familie samenwerken in een *acienda familiare* of familiebedrijf, zoals een kruidenierswinkel of een restaurant (met *mamma* achter de kassa) of zelfs een klein hotel, waar de gezinsleden een soort gewapende wacht vormen om belastinginspecteurs en andere verdachte lieden buiten de deur te houden. Deze familiebedrijven worden in Italië soms heel groot, wat resulteert in familiekartels zoals dat van de Berlusconi's, de Agnelli's en de Benettons.

Ik vermoed dat in een aldus georganiseerde wereld Gina ons, door zich als onze beschermvrouwe op te werpen, een onmisbaar inzicht heeft gegeven in hoe je in Italië moet overleven. Zonder dit te beseffen bracht ze veel van alle genegenheid en zorgzaamheid die ze vroeger aan haar eigen familie had gegeven op ons over. In de loop der jaren zorgde ze voor ons wanneer we ziek waren, wist ze op hoogst mysterieuze wijze medicijnen te bemachtigen en hield ze iedere *operaio* (arbeider) die iets in de flat kwam repareren streng in de gaten, waarbij ze ervoor zorgde dat hij nimmer in welk vertrek dan ook alleen was, en zeker niet in de buurt van het familiezilver. Ze sloot ook vriendschap met de buurman, die een klein terras had dat aan het onze grensde, Maresciallo Palinetti, die op de afdeling misdrijven van de Questura werkte. Ze vertelde de Maresciallo uitvoerig dat de meeste Amerikanen lang niet zo rijk waren als veel mensen dachten. Toen wij, op een zwarte dag, een kaartje kregen waarmee we onmiddellijk op het een of andere obscure kantoor werden ontboden 'over een zaak aangaande *contributi*' (heffingen) met betrekking tot het ophalen van huisvuil, gaf ze dit bericht aan de Maresciallo en hoorden we nooit meer iets over deze kwestie. Papieren die van officiële bureaus verdwijnen zijn in Italië een voortdurend probleem.

Zodra we de poten weer onder onze gele bank hadden getimmerd, begonnen we met Gina's hulp het appartement bewoonbaar te maken. Het was eerlijk gezegd in geen enkel opzicht voor modern wonen uitgerust. In Amerika en in Engeland is het normaal dat in een huurflat, zelfs als deze ongemeubileerd is, de meeste voorzieningen en apparaten aanwezig zijn. Maar in Rome zul je in de keuken niet veel meer dan een aanrecht aantreffen. Er is geen fornuis, geen koelkast, geen warmwatervoorziening aanwezig, en uiteraard geen strijkijzer of stofzuiger. En in de hele keuken zit slechts één wandcontactdoos voor alle apparaten.

Toen we er onze intrek namen, beschikte alleen de badkamer over het hoogstnoodzakelijke sanitair: bad, toilet, wasbak en bidet. 'Alles wat vast is gemetseld of vast zit geschroefd, zodat ze het niet mee kunnen nemen,' stelde Robert vast. Maar zelfs in de badkamer waren er, net als in de keuken, akelige kluwens kale elektrische draden, zodat we meteen alle peertjes voor de flat moesten kopen. Als we meer dan één lichtpunt in een kamer wilden hebben, moesten we er een elektricien bij halen. Af en toe raakten we in de war met de twee systemen: 220 V-stopcontacten voor apparaten, en 120 V voor lampen, zodat er nog wel eens blikopeners en mixers zijn doorgebrand.

Een ander probleem was dat, slechts enkele maanden voordat wij dit appartement vonden, de architect van de Katholieke Verzekeringsmaatschappij van Verona (onze huisbaas, die we altijd als La Cattolica aanduidden) het gebouw een grote renovatie had laten ondergaan. De architect had de prachtige oude *cotto* (gebakken) tegels die eruitzagen als glimmend gepoetst leer, eruit gehaald en vervangen door *terrazzo* tegels die op plakken baksteenkleurige mortadella leken. Hij rukte er ook wat oude eerbiedwaardige kastanjehouten balken uit en de balken die hij om constructietechnische redenen niet kon verwijderen, werden met fabrieksmatig stucwerk overdekt. *Orrendo!* Omdat hij nu toch bezig was, beplakte hij de muren met bruingevlekt behang, van het soort dat je in de wachtkamer van een tandarts ziet.

Gina bleek op alle terreinen een grote aanwinst. Ze was goed in het verwisselen van stoppen en ze bood ook aan een magneet in onze elektriciteitsmeter te doen (om het aantal kilowatturen dat deze aanwees te vertragen), maar in een aanval van burgerlijke gehoorzaamheid zeiden we tegen haar dat ze die magneet maar weg moest laten. Waar het boodschappendoen betrof was ze uitmuntend. De markt was haar natuurlijke leefomgeving en ze deed er haar inkopen met het zelfvertrouwen van koningin Victoria. In haar eerste week maakte ze een ronde langs alle fruit- en groentekraampjes om te bepalen welke marktkooplieden het best waren. Ze ontdekte een boerenvrouw uit Frascati die bijna al haar groenten in haar eigen *orto* (moestuin) kweekte, van de kleinste en zachtste boontjes tot de grootste artisjokken. Daarnaast had ze alle slasoorten die er op dat moment waren: *scarola*, dat een glad blad heeft, *indiva*, met krulletjes, en een wintersalade met vier kleine blaadjes die ze *bocca di prete* (mond van de priester) noemde. Dit bleek een variëteit van *valeriana* te zijn, een kruid dat het natuurlijke kalmeringsmiddel valeriaan levert. Gina was op het gebied van fruit al even bedreven; ze wist precies wanneer een vrucht op zijn hoogtepunt was en we hebben nimmer een appel, peer, abrikoos, pruim, aardbei, meloen of vijg gehad die niet volmaakt rijp was.

Om alle slagers en kaashandelaren uit te proberen daalde Gina af naar het souterrain van de markt, waar ze een slager vond die Guiseppe heette. Hij stelde haar nooit teleur wanneer ze om een *filetto* (lendestuk) vroeg, of een heerlijk malse tong, die ze kookte met een zoetzure saus. (Sommige Romeinse koks die we kenden, kookten de tong met chocolade.) Hij kon ook heel dunne plakjes rundvlees afsnijden, om als *carpaccio* te serveren, rauw op een bedje van *rughetta* (rucola) en met flintertjes parmigiano. De kaashandelaar die ze koos was een landgenoot die Sor (afkorting van 'signore') Armando heette. Hij had tientallen verschillende kazen, oliesoorten en kruiden, en hij verkocht kappertjes uit een grote fles en zoute ansjovisjes in tienpondsblikken die nog het etiket van de visfabriek in Napels droegen.

Het brood dat op de markt werd verkocht beviel Gina niet. Het was niet zo vers als het moest zijn en omdat brood voor haar het brood des levens was, wilde ze niets minder dan het beste. Daarom maakte ze een tocht langs alle bakkers in de buurt, tot ze er op de Via della Scrofa één vond die aan haar maatstaven voldeed. Deze winkel lag op tien minuten lopen van de markt, dus maakte ze er een gewoonte van eerst het brood te kopen, wanneer het vers uit de oven kwam. Daarna liep ze naar ons palazzo terug om het brood bij de *portiera* achter te laten terwijl zij naar de markt ging.

Brood wordt in Italië in veel vormen en maten gebakken, waarbij iedere variëteit over een eigen groep enthousiaste fans beschikt. Het grootste en waarschijnlijk meest populaire type is het grote model gezinsbrood, dat een *pagnotta* (of in het zuiden *panella*) wordt genoemd, en dat op een kussen met ronde hoeken lijkt. Ieder brood weegt ongeveer twee kilo. Dit brood wordt zowel met zout (*con sale*) als zonder zout (*senza sale*) gegeten en de mensen verschillen van mening over waar ze de voorkeur aan geven, maar de variëteit met zout heet langer goed te blijven. Het brood kan van zachte tarwe of harde tarwe (*grano duro*) worden gebakken, en Gina heeft het liefst het harde soort, deels omdat dat, mits op een donkere plaats bewaard, een week goed blijft, terwijl het brood dat van zachte tarwe is gebakken binnen vierentwintig uur oudbakken wordt. Het brood van harde tarwe heeft ook een hardere korst, waar veel Italianen de voorkeur aan geven. De zachte tarwe levert een sponsachtige structuur op, die doet denken aan het zachte witbrood dat in Engeland en Amerika zo populair is.

Er zijn andere, kleinere soorten brood voor alle smaken. Een van de favorieten was een bolletje in de vorm van een maïskolf dat een *ciriola* werd genoemd. Dit broodje was heel geliefd omdat het knapperig was, en met behulp van overheidssubsidie werd de prijs zo laag gesteld dat zelfs de allerarmsten het konden kopen. Gaandeweg stopten de bakkers met het bakken van de geliefde *ciriola*, omdat ze meer geld konden verdienen met de *rosetta*, waarvan de prijs niet vastlag en die als een grote roos was gevormd, maar geen korst had.

Deze broodjes werden voor hapjes in de middag gebruikt, en toen Gina opgroeide op het land, waar zoetigheid duur was, at ze brood met gepureerde vijgen of brood met kastanjepuree. Een veel voorkomend gerecht voor boeren was *pan cotto*, waarvoor oud brood in warm water werd geweekt en daarna met een losgeklopt ei werd overdekt. In het Zuiden, in de buurt van Napels, waar brood het belangrijkste onderdeel van het dagelijks voedsel was en is, bestaan oude gezegden als: *Mazzi e panelli fanno figli belli* (Slaag en brood maken kinderen mooi), en *Panelli senza mazzi fanno figli pazzi* (Brood zonder slaag maakt de kinderen gek).

4

De geboorte van een terras

TOEN WE DE TAFELS EN STOELEN EENMAAL OP HUN PLAATS HAD-
den staan, besloten we met het terras aan de slag te gaan. Het zag er
treurig uit, met slechts twee citroenboompjes en zes potten roze geraniums in de hoek.

'Het eerste wat we moeten doen,' zei ik tijdens het eten tegen
Robert, 'is zorgen dat er water komt.'

'Water? We hebben water zat,' zei Robert. 'Je kunt gewoon een
emmer water uit de keuken halen.'

Ik had in eerdere appartementen de nodige ervaring opgedaan
met geïmproviseerde watervoorzieningen en ik wist alles van kapotte slangen en gemorst water op parketvloeren.

'Als ik al het water uit de keuken moet halen, door de hal en de
zitkamer, en daarna drie treden omlaag naar het terras, begin ik er
liever niet aan,' zei ik.

Gina maakte het er niet beter op door te zeggen dat het helemaal
niet veel werk was om iedere morgen een paar emmers water uit de
keuken naar het terras te brengen. Maar ik was vastbesloten. Als ik
serieus op een terras in Rome wilde tuinieren, had ik er een fatsoenlijke leiding met kraanwater nodig. Ik wachtte af tot ik er zeker
van was dat Robert de hele dag naar de bronsgieterij was. Toen belde ik een plaatselijke loodgieter, signor Cademartori, die een win-
keltje op de Via della Lupa, iets verderop, had. Hij droeg een wit
jasje en hij bestudeerde onze leidingen met evenveel concentratie
als een hartchirurg.

Eerst bekeek hij de leidingen in de keuken, schudde zijn hoofd en mompelde: '*Medievale.*' Daarna liep hij naar de badkamer, waar de leidingen hem iets beter leken te bevallen. Uiteindelijk lokaliseerde hij een leiding die water naar de stortbak boven het toilet voerde, en daarna richtte hij zijn aandacht op het raam naast de pijp.

'Wat ik moet doen is een speciale leiding aanleggen vanaf de stortbak buiten langs het gebouw naar de straat,' verklaarde hij.

Daarna liep hij naar beneden, naar buiten, waar de Via della Lupa op de Vicolo di San Biagio uitkwam, en daar onderzocht hij hoe hij de leiding de hoek om moest krijgen. Ten slotte keerde hij terug naar het terras, waar Gina en ik net waren begonnen de potten weer terug te zetten.

'Ik denk dat ik de oplossing heb,' zei de geleerde man. 'Ik kan het doen, maar het zal niet eenvoudig zijn. En het zal niet goedkoop zijn.' Deze laatste zin maakte dat Gina onmiddellijk achterdochtig werd.

'*Quanto?*'

De loodgieter draaide zich om en keek haar verbaasd aan. Hij was niet gewend aan kritische vragen van huishoudsters.

'Nou,' zei hij, met enige stemverheffing, 'we zullen een steiger moeten bouwen vanaf de straat naar de leiding op die hoek, en daarna moeten we hem naar uw terras brengen. Er moet twintig meter overbrugd worden, en omdat ik geen vleugels heb kan ik de leiding niet zonder steigers aan de muur vastmaken.'

'Hoeveel?' hield Gina aan.

'Nou,' zei hij zacht, 'die steiger zal minstens een half miljoen kosten, en dan hebben we het ook nog eens over mijn tijd. Ik zal er een paar dagen werk aan hebben...'

'Dus?'

'Dus zou het u slechts één miljoen lire kosten.'

'Eén miljoen lire!' schalde Gina's stem, en ze sloeg haar blik ten hemel.

Na nog wat heen-en-weergepraat stuurden we de loodgieter weg, nadat we hem (niet geheel naar waarheid) hadden verteld dat we hem nog zouden bellen.

'Er bestaat hier maar één oplossing voor,' zei Gina vastberaden. 'We moeten mijn neefje Piero erbij halen, *subito!*'

'Piero?' vroeg ik.

'Hij heeft in de Dolomieten geklommen, dus hij heeft een groot touw dat hij boven aan het huis kan vastmaken. Daarna kan hij als een vogel langs de buitenkant omlaag komen.'

Ze vertelde dat haar broer Fabrizio, de bakker uit Albano, problemen had gehad met het aanbrengen van een antenne voor zijn televisie, omdat zijn *antennista* (antenneman) protesteerde dat het dak te hoog en te steil was en dat hij bang was eraf te vallen. Piero werd erbij gehaald en binnen de kortste keren had hij een antenne aan de schoorsteen vastgemaakt, samen met alle extra onderdelen die nodig waren om de grote tv-stations van Rome en Radio Vaticaan te kunnen ontvangen.

Zoals Gina me uitlegde, was Piero een buitenbeentje binnen de Romeinse familie. Hij was een uitermate beweeglijke jongeman. Piero's vader, Aldo, werd in Gina's familie als het meest succesvol beschouwd; hij had de historische overgang van een kleine stad op het platteland naar het leven in de grote stad Rome in één heroïsche stap gemaakt. Hij had een opleiding tot boekhouder gevolgd en deed toen iedereen versteld staan door een baan te bemachtigen op het hoofdkwartier van het gasbedrijf van Rome, op de Piazza Barberini. Tijdens dit proces transformeerde hij zichzelf van een eenvoudige boerenjongen op een motorfiets tot een chique stadsmeneer in maatkostuum, die met zijn Alfa Romeo naar zijn werk ging.

Maar er schuilt een zekere ironie in Aldo's triomf. Door zijn gezin weg te halen uit het bekrompen leven in de provincie, had hij Piero blootgesteld aan nieuwe en radicale ideeën die zelden tot een landelijk dorpje doordrongen. Piero werd gestimuleerd door de atmosfeer op het *liceo* in Rome en werd al snel lid van de debatingclub op de school, waar hij de linkse ideologie verkondigde. Hij werd ook een topatleet; zijn favoriete sporten waren waterpolo en voetbal. In de vakanties ging hij in een bus mee met een groep die in de Dolomieten cursussen bergbeklimmen volgde. Aldo en zijn vrouw volgden de ontwikkeling van hun zoon met enige wanhoop. Ze hadden hun kinderen naar de grote stad gebracht in de hoop hun economische omstandigheden te verbeteren, maar het was nooit in hen opgekomen dat hun intelligentste zoon zou overwegen de burgerlijke welgestelde manier van leven die zij zich zo kortgeleden hadden eigen gemaakt de rug toe te keren. Gina vertelde me dat Aldo de grootste teleurstelling van zijn leven had meegemaakt toen hij voor Piero een sollicitatiegesprek bij het hoofd van de boekhouding van het gasbedrijf had geregeld en Piero weigerde te gaan.

'"Ik ga geen pak aantrekken en op een kantoor werken waar ik voor alle bazen moet knipmessen",' vertelde Gina me, terwijl ze Piero's antwoord met een hoge falsetstem imiteerde. '"Ik pleeg nog liever een bankoverval dan dat ik een baan als regeringsslaaf aanneem."' Ik begreep dat ze de opstandigheid van haar neef heimelijk toejuichte.

Piero maakte grote indruk toen hij zich de volgende morgen op de Piazza Borghese meldde. Het was een lange, forse jongeman met een doordringende blik en met krullend zwart haar in een afrokapsel, en dankzij veel scuba-duiken en bergbeklimmen had hij geen last van de neiging van de meeste familieleden om dik te worden. Hij bekeek de waterleiding en het terras, nam zorgvuldig alle maten op en schreef die in een notitieboekje. De volgende dag kwam hij terug met een magere vriend die Eugenio heette, van wie hij zei dat hij leerling-loodgieter was. Ze hadden diverse stukken pijp bij zich en een zwarte tas vol gereedschap en koppelstukken. Voor ik het goed en wel in de gaten had liet Piero zich langzaam van het dak zakken aan een stuk touw dat Eugenio ergens bovenaan had vastgemaakt. De aanblik van Gina's neef die op tweehoog boven de straat bungelde, bezorgde me plaatsvervangend hoogtevrees, dus sloot ik mijn ogen, maar toen ik ze weer opendeed, kon ik zien dat hij bezig was de waterleiding aan de oostzijde van het gebouw vast te maken. Daarna zette hij er een haaks koppelstuk op en even later wipte hij langs de zuidgevel tot hij boven ons terras was. Daarvandaan hoefde hij alleen maar een leiding naar het terras omlaag aan te leggen en er een kraan op te zetten. Triomf alom. Op voorstel van Gina gaf ik allebei de nieuwe loodgieters 100.000 lire, en daar leken ze tevreden mee te zijn. Toen Robert 's avonds van de gieterij thuiskwam, trof hij me op het terras aan, bezig de stoffige citroenboompjes te sproeien.

Het duurde enkele maanden voor ik ontdekte dat als iemand goed is met tuinen, dat niet automatisch betekent dat hij ook een geweldige tuinier op een terras is, want planten groeien in potten anders dan in de volle grond. Planten in potten zijn kwetsbaar. Je kunt niet gewoon je potten op een mooie voorjaarsmorgen beplanten en er vervolgens van uitgaan dat de zon en de regen er de rest van de week wel voor zullen zorgen. Want terwijl een tuin die in grond is geplant steeds beter wordt, gaat het met een tuin in potten bergafwaarts, tenzij er veel speciale zorg aan wordt besteed.

In een gewone tuin vallen er steeds bladeren, snoeiafval en afgeknipte rozen, en soms klokhuizen en oude vijgen op de aarde. Die voegen compost en rulheid aan de grond toe, zodat deze luchtig en gastvrij wordt, en aantrekkelijk voor regenwormen.

De gewone regenworm is van vitaal belang om de grond vruchtbaar te houden. Hij maakt de grond los en luchtig. Hij produceert goede kweekgrond. Zonder deze hulp zou de grond te dicht en te zwaar worden. De regenworm is de ploeg van de natuur. Hij boort in de grond en houdt deze goed geventileerd, een voorwaarde voor de bodemmicroben om zich te vermenigvuldigen. In zulke grond met tunneltjes kan water doordringen in plaats van eraf te lopen, en het zorgt ervoor dat de vochtige omstandigheden die voor het plantenleven zo noodzakelijk zijn gehandhaafd blijven.

De autoriteit achter deze woorden is niemand anders dan de grote vader van de evolutie, Charles Darwin, de natuurkenner, die in 1881 een weinig bekend boekje publiceerde, getiteld *Vegetable Mould and Earthworms*. Darwin schreef zijn boek pas na jaren van onvermoeibaar onderzoek naar de rol die regenwormen in de natuur in het geheel der dingen spelen, en hij kwam tot de conclusie dat zonder regenwormen de vegetatie slechts moeizaam zou kunnen overleven.

Volgens Darwin verzwelgen regenwormen bij het maken van hun holen enorme hoeveelheden grond, waaruit ze alles wat maar enigszins verteerbaar is opnemen, zoals verse en halfvergane bladeren en andere organische materialen. Ze werken voornamelijk in de bovenste laag van de grond, maken die luchtig en laten zuurstof naar de wortels van de planten doordringen. Zonder deze zuurstof zouden de planten niet kunnen groeien.

45

Ik heb me vaak afgevraagd of je ervan op aan kunt dat regenwormen niet van de planten in de potten eten. Ik maakte me zorgen dat de wormen misschien déden alsof ze de grond luchtig maakten, terwijl ze in werkelijkheid van de wortels van mijn geliefde amaryllisbollen aten. Maar Jenny, die een expert is geworden op het gebied van tuinieren met compost, zegt dat die angst ongegrond is, dat wormen voornamelijk rottend plantenmateriaal consumeren en zich bijna nooit aan gezonde wortels of bollen vergrijpen. Of zoals Darwin het zei:

Wanneer de boer of tuinier de grond zo arm aan organisch materiaal laat worden dat de regenworm zich uit wanhoop op de wortels richt om toch iets te eten te hebben, zal dit nog meer slechte gevolgen hebben. Wanneer er daarentegen voldoende humus in de grond aanwezig is, zal de wortelgroei weelderig zijn en zal het aantal wortelharen vele malen groter zijn dan bij planten die groeien in grond die minder organisch materiaal bevat.

Maar lieve hemel! Hoewel regenwormen goed zijn voor potplanten, geldt dit niet voor andere kleine wezens zoals slakken, rupsen en kevers en hun larven, die alles opeten wat ze in potten kunnen vinden, vooral groeiende wortels.

Er is nog een andere categorie organismen, kleiner dan slakken of kevers, die enorm bijdraagt aan de gezondheid van de grond. Deze organismen staan bekend als 'bodembacteriën' en de tuinencyclopedie beschrijft ze als 'de belangrijkste middelen om rotting en vertering in de grond te veroorzaken en dus […] vooral voor de productie van humus te zorgen'. Het woordenboek voegt eraan toe dat sommige bacteriën zuurstof uit de lucht opnemen en in de grond vastleggen. (Dit proces doet zich bijvoorbeeld voor als je planten als klaver of alfalfa gebruikt, waarvan de wortelknolletjes stikstof bevatten.) Sommige landbouwkundigen zijn zo dol op deze bacteriën dat ze er hele boeken over hebben volgeschreven. Maar voor mijn doel is het voldoende te weten dat de potgrond die je gebruikt van hoge kwaliteit moet zijn, en dat deze wat korrelig of kruimelig moet aanvoelen, zo ongeveer als verbrokkelde volkorenbiscuits.

Ik nam altijd zakken grond van mijn composthoop op het land mee voor mijn vriend Eugene Walter, die een van de mooiste terrastuinen van Rome had. De grond deed hem denken aan 'verbrokkelde borstplaat – hij zag er zo lekker uit dat ik hem bijna had opgegeten,' zei hij. 'En vergeet niet,' voegde hij er dan aan toe, 'dat iedere keer dat je een plant water geeft, het water dat onder uit de pot komt heel anders is dan het water dat je erin doet.' Met andere woorden, iedere keer dat een plant water krijgt, stromen er vitamines en mineralen, die van wezenlijk belang voor de gezondheid van de plant zijn, uit het gat onder in de pot weg. Het water spoelt langzaam maar zeker veel goeds uit de grond, en dit zal de plant uiteindelijk zwakker maken.

Dit alles geeft aan dat potplanten veel hulp van hun vrienden nodig hebben. Ze hebben extra water nodig, veel meer dan je ze zou geven als ze in de volle grond stonden, en daarnaast veel kunstmatig voedsel. Ik heb ontdekt dat diegenen onder mijn tuinvrienden die een superterras hebben, de beste plantenvoeding kopen die er op de markt is, en dit maakt dat hun planten, jong en oud, welig tieren.

Een andere vraag die in tuinkringen herhaaldelijk wordt gesteld is: welke soort potten is het best voor een terras? Moeten ze van plastic of van terracotta zijn? En moet je potscherven of rommel onder in de pot leggen, voor de drainage?'

Ik weet dat Christopher Lloyd, de schepper van de beroemde tuin van Great Dixter, een groot voorstander van aardewerken potten is, net als Vita Sackville-West indertijd. Ik ben het met hen eens dat handgemaakte terracotta potten uit Toscane bijzonder veel charme hebben, vooral als ze zijn gedecoreerd met de klassieke motieven uit de Renaissance of wanneer ze als oude Romeinse amfora's zijn gevormd. Maar in een tijd waarin gespierde tuinhulpen dun gezaaid zijn, houd ik het hardnekkig op plastic potten. Mijn argumenten zijn gebaseerd op praktische zaken. Plastic potten, die een aardige terracotta kleur hebben, kosten veel minder, waarschijnlijk eentiende van wat een goede terracotta pot zal kosten, en ze gaan niet kapot, wat ook een besparing betekent. Deze onbreekbaarheid wordt met de dag belangrijker getuige het feit dat veel van de grotere tuincentra al helemaal geen terracotta meer aanbieden, aangezien dit te zwaar en te breekbaar is om te transporteren zonder enorme kosten te maken.

Voor mij is het belangrijkste voordeel van plastic potten dat ze verplaatsbaar zijn. In veel bloeiende borders is de mobiliteit gering. Op een terras met bloeiende planten kun je de onaantrekkelijke planten gewoon uit het zicht zetten en andere naar voren halen, precies op het moment dat ze in bloei staan. Dit gaat heel gemakkelijk met bollen als tulpen of *Crinum* in het voorjaar, en agapanthus en dahlia in de zomer. Als ze zijn uitgebloeid, kunnen ze weer naar de achterste rij worden verbannen.

Dit betekent niet dat je het hele jaar stoelendans moet doen met je terrasplanten. Ik probeer enkele grote potten neer te zetten vol planten die er het grootste deel van het jaar aardig uitzien, zoals lavendel en *Leptospermum* en zelfs doorbloeiende rozen, zoals de schitterende witte 'Iceberg', die in Rome dapper tot in december staat te bloeien. Ik zet deze potten op strategische plekken waar ze in het oog vallen, en ik verschuif de planten die op dat moment bloeien eromheen.

Ik heb ontdekt dat diverse bollen en knollen het in de pot beter doen dan in de volle grond. Een van mijn favoriete zomerbloemen, de agapanthus, is in elk geval zo'n plant. Elke keer dat ik de knollen in de border plantte, leken ze goed aan te slaan en vormden ze elke zomer een veelbelovende pol bladeren, maar als de tijd voor de bloei daar was, waren er maar één of twee bloemen. Uiteindelijk groef ik van een perk de helft op en plantte de veertig knollen in vier vrij grote potten op het terras, waar ze regelmatig water en voeding kregen. Toen ik vorig jaar juli een ogenblik vrij had, heb ik de bloemen geteld die ik in mijn vier potten kreeg, en ik ontdekte vierendertig azuurblauwe bloemen. Ik zet vaak een of twee van deze potten naast de lavendel, die ook vroeg in de zomer bloeit. Het blauw van de agapanthus naast het violet van de lavendel is de mooiste kleurencombinatie die je in welke zomertuin dan ook kunt vinden.

En nu nog een laatste woord over potten, of in het bijzonder over de bodem van potten. Ergens aan het begin van mijn carrière als terrastuinier las ik in het prestigieuze blad *Garden* (van de Royal Horticultural Society) een artikel waarin werd gezegd dat het niet nodig was om potscherven of steentjes onder in een pot te doen voor de drainage.

De auteur beweerde dat er geen drainage nodig was omdat water zich net zo gemakkelijk door de gewone potgrond kon banen als door steentjes of scherven. Hij gebruikte termen als 'osmose' en 'hydromatisch' om zijn argument kracht bij te zetten, en ik was genoeg onder de indruk om een paar planten zonder fatsoenlijke drainage op te potten. Het bleek (zoals ik misschien had moeten weten) dat de potten zonder steentjes of potscherven onderin binnen verbazingwekkend korte tijd verstopt raakten. Het water bleef gewoon in een plas op het oppervlak staan en de planten begonnen slijmerig te worden. Dit gebeurde met een weelderig exemplaar van de witte *Wisteria*, en met twee citroenboompjes die met goudgele vruchten waren overdekt. Er zat voor mij niets anders op dan deze ongelukkige potten op hun zij te leggen en met een groot hakmes en een hamer de grond eruit te halen, zodat ik ze met veel meer drainagemateriaal opnieuw kon oppotten. Ik had er een paar uur voor nodig om de grond voor de citroenbomen te vernieuwen, want ik was voorzichtig met de citroenen die zo moedig aan hun takken rijpten. Eén citroenboompje overleefde dit zonder kleerscheuren, maar het andere moest veel heen en weer worden geduwd en verloor uiteindelijk drie citroenen, waar ik citroenmarmelade van heb gemaakt. Sindsdien doe ik altijd steentjes of potscherven onder in de potten.

5

Henry wordt naar school gebracht

TOEN HET TERRAS EENMAAL WAS INGERICHT, BESLOTEN WE DAT het tijd werd om een nuttige bezigheid voor Henry te zoeken. In onze tweede winter op de Piazza Borghese was Henry twee geworden en we hadden de indruk dat hij meer energie had dan wie ook in het centrum van Rome. Hij vond het heerlijk om op het terras rond te rennen en met tennisballen te voetballen, en hoewel het volkomen veilig was omdat we kippengaas op de muur van het terras hadden gezet, was het niet genoeg.

Henry had meer nodig om zich uit te leven. In zijn kamer had hij allerlei plastic speelgoed dat afwasbaar en heel leerzaam was, en hij had blokken die met een speciale niet-giftige verf waren beschilderd. Maar deze speeltjes verveelden Henry. Hij wilde opwindender dingen doen – dingen die hij andere mensen zag doen. Als hij naar de keuken ging en Gina een halve kilo aardappels aan stukjes zag snijden, klom hij op een stoel en zei: 'Io, Ito.' En als hij Robert een gat in de muur zag boren om een schilderij op te hangen, probeerde hij de boor van hem af te pakken, zeggend: 'Io, Ito.'

Zoals de meeste buitenlandse kinderen die in Rome zijn geboren bleek Henry ook liever Italiaans dan Engels te spreken, omdat dat de taal was die de andere kinderen in het park van het Castel Sant'Angelo spraken. Daardoor beschouwde hij zichzelf als 'Enrico', maar omdat zijn uitspraak nog niet volmaakt was, zei hij 'Ito' in plaats van 'Enrico'. Het woord 'ik' is in het Italiaans *io*. Dus als Henry '*Io, Ito*,' zei, probeerde hij eigenlijk 'Ik, Henry' te zeggen, of zelfs: 'Laat Henry dat doen.'

We beseften dat er iets moest gebeuren toen hij er een gewoonte van maakte stoelen in de flat te verschuiven zodat hij op bureaus kon klimmen en dingen kon pakken waar hij niet aan mocht komen, zoals de papierschaar of tubes lijm. Jenny, die negen was en al heel volwassen, zei dat het misschien tijd werd om Henry naar een soort schooltje te brengen en ik informeerde links en rechts en ontdekte dat er op slechts enkele straten van ons huis een kleuterschool was, in het Palazzo Taverna.

Ik ging de school bekijken en trof deze in een zonnige vleugel van het oude palazzo, met een eigen kleine ommuurde tuin – een ideale plaats voor een school. De directrice, signora Laura Bettarelli, vertelde dat de mensen die de school hadden gesticht zich wilden ontworstelen aan de formele, hoogst gedisciplineerde onderwijsmethoden die op de meeste Italiaanse kleuterscholen werden gehanteerd, vooral de scholen die door rooms-katholieke nonnen werden geleid.

'Wij willen dat onze kinderen leren samen te spelen en we willen geen systeem dat erop gericht is de kinderen zoet en braaf te houden,' zei ze.

Ik verklaarde dat Henry een uitermate actief jongetje was dat ongetwijfeld veel profijt zou hebben van contact met andere kinderen van zijn leeftijd.

'Hoe oud is hij?' vroeg ze.

Toen ik het haar vertelde, was ze het ermee eens dat twee nog een beetje jong was. 'Ze komen meestal bij ons als ze drie zijn,' ging ze verder, 'maar we moesten uw zoon maar eens bekijken. Hij klinkt heel… voorlijk.'

Dus nam ik Henry de volgende dag mee, en ze nam hem onmiddellijk aan.

'Volgens mij is Henry absoluut aan de school toe,' zei ze glimlachend. Ik kon alleen maar een schietgebedje doen dat de school ook aan Henry toe zou zijn.

Deze prettige regeling veranderde het patroon van onze dagen, aangezien we Henry nu 's morgens om negen uur op school moesten hebben en hem weer moesten ophalen wanneer het twaalfuurkanon op de Gianicolo afging. Omdat het zo'n leuke wandeling was, besloot ik Henry zelf naar school te brengen en op te halen. Op die manier kon ik onderweg boodschappen doen en een beetje sightseeing bedrijven in de straten rond het Pantheon en de Piazza Navona.

Henry's schooluniform was heel eenvoudig. Omdat hij midden in de winter met school begon, moest hij een broek, een trui en een warme jas aan, met een wollen muts en wanten. Hij moest een picknickmandje bij zich hebben, met een schortje, een boterham en een stukje fruit voor halverwege de morgen.

Onze wandeling verliep iedere dag volgens nagenoeg hetzelfde patroon. Op een doorsnee-ochtend kwamen wij om ongeveer half-negen ons gebouw uit en gaf ik Henry geld om een *Herald Tribune* voor me te kopen. Achter de krantenkiosk stond de grote, driehoekige massa van het Palazzo Borghese, waarover ik Henry vertelde dat het dikwijls het 'klavecimbel' werd genoemd, omdat het die vorm had. Henry interesseerde zich niet zozeer voor de naam als wel voor de tientallen schoorstenen die het dak ervan sierden. Hij kon niet begrijpen waarom een gebouw zoveel schoorstenen nodig had, en ik legde hem uit dat vroeger iedere kamer een haard nodig had om te worden verwarmd en dat elke haard een eigen schoorsteen had. Dus telde Henry de schoorstenen, een voor een, maar na acht raakte hij de tel kwijt en telde ik voor hem verder en kwam tot twaalf.

Na de krantenkiosk sloegen we links af naar de Via Monte Brianzo, die ons in zuidelijke richting langs de Tiber voerde. Hier wilde Henry oversteken om langs de Tiber te lopen, omdat de afgevallen bladeren van de platanen dik op het trottoir lagen en hij het heerlijk vond om door grote plukken gerimpelde bladeren te schuifelen.

Ongeveer halverwege waren arbeiders van het gasbedrijf bezig een geul in de straat te graven en Henry vergat de bladeren en holde erheen om te zien wat er in dat gat gebeurde. Hij vroeg aan twee mannen die daar aan het graven waren wat ze zochten, en ze zeiden dat ze gasleidingen zochten. Een van hen pakte een grote hamer en tikte op een forse ronde pijp om te laten zien wat hij bedoelde. Maar deze keer had Henry's aandacht zich verplaatst naar de grote ijzeren emmer met brandende houtskool, die naast het gat was gezet. Af en toe, wanneer de mannen koude handen en voeten hadden gekregen, klommen ze uit hun loopgraaf om zich bij het vuur te warmen.

Henry wilde zijn handen ook warmen, maar hij was bang om te dicht bij de brandende kolen te komen.

Zonder bladeren waren de platanen langs de rivier heel kaal en kon je de overkant duidelijker zien. Verder stroomafwaarts, aan de overkant, kon ik nog net de koepel van de Sint-Pieter uit de ochtendnevel zien oprijzen. Ik heb altijd gevonden dat de Sint-Pieter iets oosters heeft. Ik moet dan denken aan de Taj Mahal, of aan de koepel van het paleis van Koebilai Khan, ondanks het feit dat Michelangelo de koepel schijnt te hebben gekopieerd van het Pantheon, dat breed en plat is als een boeddhistische stoepa.

Het Castel Sant'Angelo, pal aan de overkant, sprak me meer aan. Ik hield van de tuinen en de wallen, waar Henry ging spelen en op zijn eerste driewieler leerde fietsen. Ik vond ook dat het een authentiek stuk Romeinse geschiedenis was. Het was begonnen als graftombe voor keizer Hadrianus, en in de donkere Middeleeuwen, toen de barbaren Rome begonnen te plunderen, was het tot vesting verbouwd. Naarmate het Vaticaan groeide en het pausdom meer en meer werd bedreigd, werd er tussen de Sint-Pieter en het kasteel een verhoogd wandelpad aangelegd, en een aantal pausen werd ooit langs dit pad geëvacueerd om niet gevangengenomen te worden. In 1527 moest paus Clemens VII, een paus uit de familie Dei Medici, zich door deze passage haasten toen het gebouw door een multinationale strijdmacht van protestanten en katholieken werd aangevallen. Zijn vlucht werd op gevaarlijke wijze vertraagd doordat hij erop stond zijn volumineuze officiële gewaad te dragen, inclusief sleep. Uiteindelijk werd hij gered doordat een van de kardinalen de sleep oppakte en over zijn schouders hees en zo Zijne Heiligheid nog net op tijd binnen de beschutting van de kasteelmuren wist te krijgen.

Nadat we de opgravingen van het gasbedrijf hadden bekeken, staken Henry en ik de straat weer over en liepen over de Piazza Zanardelli, waar veel winkels van ambachtslieden waren. Er was ook een werkplaats van een steenhouwerij die met marmer werkte, en bij goed weer kwamen de arbeiders naar buiten om hun marmeren tafels en schouwen op het trottoir te polijsten. Ze droegen allemaal een hoed van krantenpapier om het stof uit hun haar te houden, maar er lag altijd een dun laagje wit marmer op hun gezicht. Vroeger, in de Romeinse tijd, legden de grote schepen die marmer uit

Griekenland, Sicilië en Noord-Italië vervoerden, in de haven van Ostia aan, en dan werden er grote stukken steen op sloepen over de Tiber gebracht, die exact op dezelfde plaats werden uitgeladen als waar nu, tweeduizend jaar later, de marmerslijpers nog altijd met dit fraaie witte gesteente werken.

Daarna liepen we in de richting van de Via dei Coronari en sneden een stuk af via een smal steegje vol grote Romeinse katten. Henry is dol op katten, maar hij was altijd een beetje bang voor straatkatten, omdat die zich niet leken te willen laten aaien. Er was echter één grote kat die Mafalda heette, bij een melkhandel hoorde en nooit blies. Signora Minerva, die de winkel beheerde, gaf Mafalda altijd een kopje verse melk en bij de lunch kookte ze wat pens voor haar, zodat Mafalda het zich kon veroorloven lekker op een omgevallen Romeinse zuil in het zonnetje te zitten en vriendelijk te doen tegen kleine jongens.

Verderop in deze straat stond het huis waar Anna Maria woonde. Anna Maria was tweeënhalf jaar, maar ze ging nog niet naar school, dus stond ze in de deuropening om naar Henry te zwaaien als hij voorbijkwam. Als we vroeg genoeg waren, holde Henry naar haar toe om met haar te praten, en soms maakte hij zijn picknickmand open om haar te laten zien wat erin zat. Haar moeder kwam Henry ook vaak begroeten, en ze nodigde hem dan binnen voor een stukje verse *pizza bianca* (met alleen maar olie en knoflook) uit de bakkerij.

Wanneer we van Anna Maria kwamen liepen we over de grote open piazza van San Salvatore in Lauro, 'San Salvatore in de laurierbomen', zo genoemd naar een beroemd laurierbosje dat ooit op die plek groeide. Daarna liepen we omhoog over een klein pad dat van de piazza naar een achterdeur van het Palazzo Taverna liep. Halverwege deze helling was een groep werklieden bezig beton te mengen en oude planken door te zagen, kennelijk als voorbereiding op het gieten van een voetpad. Natuurlijk kon Henry de verleiding niet weerstaan zijn mandje neer te zetten en te proberen hun kruiwagen verder te duwen, maar daar wist hij uiteraard geen beweging in te krijgen.

Als we de poort openmaakten, holde Henry altijd de tuin door, langs de citroen- en sinaasappelbomen, naar een deur met een trekbel. Er kwam een lerares om Henry binnen te laten en hij holde het schoollokaal in zonder ook maar één keer achterom te kijken. Ik liet hem zonder zelfs maar een afscheidskus gaan, omdat me altijd door Montessori-leerkrachten was verteld dat ouders beter niet het klaslokaal binnen konden gaan. Ze meenden dat de aanwezigheid van ouders de natuurlijke uitbundigheid van de kinderen zou kunnen belemmeren.

Drie uur later, als het kanon van twaalf uur had geklonken, ging ik Henry ophalen, en hij had altijd veel te vertellen over de activiteiten van die morgen. Daarna holde hij over het voetpad naar de Piazza San Salvatore, waar een groep jongens uit de buurt vaak tussen de middag kwam voetballen. Henry bleef graag even kijken, hoewel hij besefte dat hij te klein was om mee te kunnen doen.

We gingen verder door de Via dei Coronari tot we bij het kerkje van de Portugezen kwamen. Voorbij de kerk staat een oude toren, die de Toren van de aap wordt genoemd. Helemaal bovenin is een heiligdom, waar dag en nacht licht brandt. Henry wilde vaak dat ik hem het verhaal van de aap vertelde.

Ik vertelde hem dat er ooit een edelman in dit gebouw had gewoond, met zijn enige zoon en met een grote aap als huisdier. Op een dag pakte de aap het jongetje op en nam hem mee naar boven in de toren, waar hij zat te kwebbelen en een lange neus maakte naar alle mensen beneden. De vader van het jongetje was wanhopig; hij was bang dat de aap het kind op de straat zou gooien, en daarom deed hij de plechtige gelofte dat als de aap zijn zoon veilig naar beneden bracht, hij boven in de toren een heiligdom zou bouwen en het licht daar eeuwig zou laten branden. Kort daarna bracht de aap het kind weer naar zijn vader, die het heiligdom liet bouwen, zoals hij had beloofd.

Zaterdag was een van de favoriete dagen van Henry, omdat Jenny dan met ons meeliep naar het Palazzo Taverna. Na schooltijd, als we daar tijd voor hadden, ging ik vaak met de kinderen naar Robert in zijn atelier op de Via Margutta, de beroemde oude straat voor kunstenaars. Roberts atelier was op de open binnenplaats van nr. 51A, een beroemde plaats voor filmfanaten, omdat dit de plek was waar Gregory Peck als Amerikaanse journalist woonde toen hij Audrey Hepburn als prinses in *Roman Holiday* mee uit nam.

Het atelier, dat ooit een stal was geweest, stond vol met Roberts beelden. Sommige daarvan waren voltooide stukken in gegoten brons, terwijl andere nog steeds van bijenwas waren, nog niet klaar om naar de gieterij te worden gebracht. Niemand mocht bij de wassen beelden in de buurt komen, want als eraan werd geduwd of als ze zelfs maar een paar centimeter uit het lood werden getrokken, moesten de gietmodellen worden bijgewerkt of omgesmolten om de positie te corrigeren. Er waren ook modelleerpodiums in het atelier, waar vaak modellen op poseerden. Van tijd tot tijd moesten Jenny en Henry poseren voor hun vader, die uiteindelijk een hele reeks bronzen beelden van zijn opgroeiende kinderen heeft gemaakt.

Soms gingen we met z'n allen naar de Piazza Navona. De piazza, vertelde ik hun, was meer dan tweeduizend jaar geleden als stadion voor Romeinse spelen gebouwd. Er werden daar bokswedstrijden gehouden en bij warmer weer waren er paardenrennen. In de Middeleeuwen, toen de pausen over Rome heersten, lieten ze het plein altijd onderlopen, zodat de mensen het als een soort zwembad konden gebruiken.

Henry en Jenny vonden het vooral heerlijk om in de kersttijd naar de piazza te gaan, wanneer het hele plein in een soort kerstmarkt was veranderd. Ze keken dan bij de man die zuurstokken maakte, in een kraampje vlak naast de beroemde fontein. Eerst kookte hij suiker en water in een groot koperen vat, daarna voegde hij de kleuren eraan toe, en vervolgens trok hij de kleverige massa uit tot hij een reeks lange, dunne zuurstokken had. Hij gaf Henry en Jenny er altijd een.

Ze gingen ook naar de kraam waar de pottenbakkers uit Napels hun figuren voor het kerststalletje tentoonstelden, met de Heilige Maagd en het *bambino Gesù* en de Drie Koningen die met hun offerandes kwamen. (Het feit dat de Drie Koningen sprekend herders uit Campania leken stoorde niemand.) En over herders gesproken: er kwamen ook herders uit de bergen van de Abruzzen, om kerstliederen zoals '*Tu Scendi dalle Stelle*' ('*Uit hogen hemel daalt Gij neer*') op hun fluiten en doedelzakken te spelen. Deze *zamponieri* (doedelzakspelers) droegen een wollen broek met een grove zelfgemaakte cape van schapenvacht, en hun schoenen waren uit schapenleer gesneden en met leren veters rond hun enkels vastgemaakt.

Het gejammer van de doedelzakken in de kersttijd, in de kille straten, is ook zo'n geluid van Rome dat me altijd bij zal blijven.

De laatste stop op onze weg naar huis was de markt voor oude boeken en kaarten, die vanaf draagbare tafels op de piazza voor ons huis worden verkocht. Henry kende alle boekverkopers op deze markt, omdat hij er twee of drie keer per dag voorbijkwam. Hij keek vooral graag naar de oude prenten van paarden en zeilboten die, vastgemaakt met wasknijpers aan een touw, te koop hingen.

Wanneer we thuis waren, hielp Gina Henry uit zijn jasje en vroeg hem wat hij die dag had gedaan, en hij vertelde haar dan dat hij voor iedereen iets moois maakte voor Kerstmis. Maar hij wilde aan niemand vertellen wat dat was.

'É un segreto, un segreto!' zei hij. 'Neanche Babbo Natale non lo sa. [Het is een geheim. Zelfs de kerstman weet er niets van.]'

Ik zal altijd van mening blijven dat de stad Rome, met al zijn geschiedenis, het beste speelterrein voor de fantasie van een opgroeiend kind is.

6

Een slecht jaar voor fietsendieven

Iedereen die op een terras tuiniert heeft een boodschap-penjongen nodig om allerlei dingen op te halen en te dragen, en ik ben blij te kunnen melden dat Robert op dit gebied onovertrefbaar bleek te zijn. Toen we begonnen met het kweken van planten in potten, snelde hij altijd met onze oude Morris Minor naar kweke-rijen en markten, maar naarmate het verkeer drukker en parkeren volstrekt onmogelijk werd, moest hij alternatieve manieren vinden om zich met spoed door Rome te kunnen verplaatsen.

Omdat hij heel ongeduldig is, vindt Robert lopen verspilling van tijd, wachten op de bus een bezigheid voor idioten, en het huren van een taxi een zekere weg naar bankroet. Dus besloot hij een fiets te proberen – of liever gezegd: hij kreeg opeens oog voor een oude rode fiets die een vriend in een hoek van zijn atelier had achtergela-ten toen hij naar Amerika terugging. Binnen een week werd Robert de fietsende verschrikking van het centrum van Rome, en binnen een maand werd hij ook de gesel van de helft van de fietsendieven van de stad.

De manier waarop Robert zich op een fiets door Rome verplaatst-te was iets waar zelfs de dapperste kerels bang van werden. Hij sprintte als een geleid projectiel tegen de stroom in door eenrich-tingsstraten, joeg mensen die hun honden uitlieten de stuipen op het lijf en zoefde over de trottoirs langs de Tiber. Hij was zo trots op zijn vorderingen dat hij die met een stopwatch bijhield. Hij ontdek-te weldra, met een zekere bittere voldoening, dat hij van onze flat op de Piazza Borghese in precies drie minuten naar het gemeentekantoor op de Via Giulia kon komen. (Deze tochtjes waren nodig om te klagen over rommel of over onroerendgoedbelastingen of over andere gemeentelijke schanddaden. Zijn record voor de heen- en terugtocht, inclusief het invullen van de noodzakelijke formulieren, was zevenenhalve minuut.) Hij wist in exact vijfenhalve minuut de Trionfale-bloemenmarkt te bereiken en hij bevestigde zelfs een speciaal rek achter op zijn fiets om de potplanten te vervoeren. Hij kon in vier minuten naar het Santo Spirito-ziekenhuis trappen als daar iemand ziek lag, maar hij beschouwde de Salvator Mundi op de Gianicolo-heuvel als verboden terrein. Robert had een gloeiende hekel aan heuvels, in het bijzonder aan de heuvel op de Via Veneto, waar de binnenlandse belastingdienst voor de ambassade van de Verenigde Staten was gevestigd. Wanneer Robert dreigende belastingbrieven van de regering van de VS kreeg, werd hij zo ongeveer witheet. (Meestal wilden ze zoiets onnozels als een kwitantie die aantoonde dat hij in 1976 zijn inkomstenbelasting had betaald.)

Het probleem was nog niet zo erg toen het belastingkantoor zat weggestopt in een onopvallend gebouw op de Via Sardegna, omdat hij zijn fiets onder aan de roltrap op de Piazza di Spagna op slot kon zetten en dan in zes minuten naar boven, naar de Via Veneto kon gaan. (Hij probeerde een keer op de roltrap te fietsen, maar de autoriteiten staken daar een stokje voor.) Toen het kantoor echter naar het consulaat verhuisde, aan de andere kant van de Via Veneto, moest hij omhoogtrappen, slechts gesterkt door het besef dat hij na afloop de hele weg naar huis kon freewheelen.

Roberts strijd met de fietsendieven begon op enigszins bescheiden wijze, maar barstte weldra los in een allesomvattende oorlog, en er was een tijd dat de dieven drie punten vóór stonden op Robert. In het begin had hij de neiging wat slordig te zijn. Hij liet zijn fiets een keer negen dagen lang met een ketting aan een lantaarnpaal op de Piazza Borghese staan, zonder dat iemand eraan kwam. Dat leidde tot een overdosis goed vertrouwen. De volgende keer dat hij zijn fiets een paar dagen liet staan, bleek deze te zijn verdwenen. Roberts fietscarrière had op dit punt een voortijdig einde kunnen bereiken, ware het niet dat hij drie dagen later, toen hij over de Piazza Augusto Imperatore liep, op weg naar zijn atelier, zijn oude rode fiets met een splinternieuwe ketting aan een beeld van Minerva verankerd zag staan. Robert bedacht zich niet en rende naar zijn atelier om daar een grote ijzerzaag te halen, waarmee hij vervolgens de ketting te lijf ging. De meeste brave burgers van Rome gingen achteloos aan dit schouwspel voorbij, tot een buschauffeur, in een opwelling van burgerlijk verantwoordelijkheidsbesef, zich verstoutte aan Robert te vragen hoe hij het waagde die fiets te stelen.

Robert was zo kwaad dat hij even ophield met zagen en een donderpreek tegen de verschrikte buschauffeur afstak. Natuurlijk was het zijn fiets, brulde Robert. Wie anders dan de rechtmatige eigenaar zou er zo'n oud krot willen stelen? Daarna begon hij de chauffeur te wijzen op alle deuken en krassen die de fiets dit jaar had opgelopen. Daar op het spatbord zat een deuk die een *cretino* van een taxichauffeur erin had gemaakt. En kijk eens naar die armzalige oude lamp. Hij had hem persoonlijk aan het wiel bevestigd met een stuk draad dat hij met de hand had gebogen. Het is mogelijk dat woede, als die echt het kookpunt heeft bereikt, anderen kan doen ontvlammen, want de chauffeur keek de briesende yank enkele seconden zwijgend aan en liep toen snel weg. Robert nam zijn hervonden fiets onmiddellijk mee naar zijn atelier, waar hij uitvoerig zijn naam en telefoonnummer in de dwarsstang begon te krassen.

De volgende keer dat de fiets werd gestolen was de dief zo verstandig hem niet aan een paal op de Piazza Augusto Imperatore vast te maken. Dat bracht de stand in de fietsenoorlog op één voor de dieven en nul voor Robert.

Op dit punt dook er in Roberts omgeving een aardige jongeman op, Steven Potts, die naar Italië was gekomen om bij Robert beeldhouwen te leren. Potts was ook een fietsenthousiast. Hij bezat een groene fiets met goede remmen en binnen de kortste keren had hij een tweede, blauwe fiets bemachtigd, van een vriend die naar Amerika vertrok. Het behoeft geen betoog dat Robert snel aanbood de blauwe fiets voor een luttel bedrag over te nemen, en dat hij onmiddellijk naam en telefoonnummer in de stang graveerde.

Er ging enige tijd voorbij. Robert reed vele kilometers op de blauwe fiets, maar op een dag liet hij hem in de buurt van het Pantheon op het trottoir staan om een speciale olie te kopen om schildluis op citroenboompjes te doden.

'Ik was gewoon lui. Ik had geen zin om me te bukken om het kettingslot vast te maken,' verklaarde Robert. 'Ik dacht dat het wel kon als ik hem gewoon in de gaten bleef houden door het raam van de ijzerwinkel.' Maar toen hij weer keek, was de fiets verdwenen. De buurt van het Pantheon is berucht om zulke calamiteiten. Dit bracht de stand in de fietsenoorlog op twee voor de dieven tegen nul voor Robert.

Er volgden een paar dagen van rouw, en toen deed Robert iets heel ongewoons. Hij ging naar de fietsenwinkel en kocht een prachtige zwarte fiets met vijf versnellingen, een mand, automatische verlichting, en een bel die zo luid was dat hij de katten op de Vicolo del Divino Amore de stuipen op het lijf joeg. En dat allemaal voor 275.000 lire. Hij kreeg ook, voor 30.000 lire, een stevige ketting, die eruitzag als iets wat door de inquisitie was gebruikt om afvallige katholieken mee te geselen. Dus als Robert door Rome raasde voor zijn opdrachten op de bloemenmarkt of bij de carabinieri, was hij niet alleen snel maar ook heel chic.

Op ongeveer dit punt moest Potts naar Amerika terug om verder te gaan met zijn studie bouwkunde, dus bood hij Robert zijn uitstekende groene fiets te koop aan. De beeldhouwer merkte eerst op dat hij al een fiets had, maar zei toen langs zijn neus weg dat hij Potts nooit iets had berekend voor zijn beeldhouwlessen, dus dat de groene fiets wellicht bij wijze van lesgeld kon worden geaccepteerd. Potts keek wat sip, maar uiteindelijk kreeg de beeldhouwer de fiets. Gratis. Fietsendieven bestaan er in soorten en maten. De stand kon nu als twee voor de dieven en twee voor Robert worden beschouwd.

De nieuwe zwarte fiets bleef het voornaamste transportmiddel, omdat hij veel sneller en ook lichter was dan de oude groene, een factor die van cruciaal belang was omdat hij 's avonds over de trappen omhoog moest worden gesjouwd naar de flat van de beeldhouwer, aangezien de *portiera* haar toestemming om de fiets 's nachts in de vestibule te laten staan had ingetrokken. Maar op een donderdag rond Pasen was hij verdwenen. We zaten te lunchen bij Giocchino op de Via dei Coronari – *spaghetti alle vongole* (spaghetti met mosselen), *abbacchio al forno* (gebraden lam), witte wijn en salade – en toen we buiten kwamen, besefte Robert dat zijn fiets, die hij aan een reclamezuil had vastgemaakt, was verdwenen. Het enige dat ervan over was, was het koperen hangslot, dat keurig met een grote ijzerschaar doormidden was geknipt.

Boosheid en wanhoop. En de stand was drie tegen één.

Robert ging regelrecht naar zijn fietsenwinkel en kocht een groot, driehoekig slot van een soort gietijzer, dat slechts door met handschoenen en veiligheidsbrillen gewapende vlambooglassers kon worden doorgesneden. Prijs: 70.000 lire.

'Nu heb ik dan,' zei Robert verbitterd, 'een slot van 70.000 lire om een oude groene fiets van 30.000 lire te beschermen.' (Hij was even vergeten dat de groene fiets hem geen lire had gekost.)

Twee uur later ging de telefoon en hadden we een heer met een uitermate hoffelijke stem aan de lijn.

'Als u Robert Cook bent, dan heb ik uw fiets hier,' zei de heer. 'Ik stond zojuist een kopje koffie aan een bar in de buurt van mijn *negozio* op de Via dei Banchi Vecchi te drinken, toen er een jongeman kwam die me een prachtige zwarte fiets voor 100.000 lire te koop aanbood. Ik kon uw naam in het metaal gegraveerd zien staan. Ik heb hem voor 50.000 lire gekocht. Wanneer komt u hem ophalen?'

Er waren drie Italiaanse vrienden die ons adviseerden niet met deze heer in zee te gaan. Hij was duidelijk een heler, zeiden ze. Hij had de fiets gestolen – 'hij zal je flink laten dokken om hem terug te krijgen. Misschien probeert hij je zelfs wel te beroven.'

Robert rende desondanks in volle vaart naar de Banchi Vecchi (hij had zo'n haast dat hij er eigenlijk met de oude groene fiets naartoe wilde, maar ik wist hem te overreden dat het sneller was om er te voet heen te gaan en dan terug te rijden dan er met één fiets heen te rijden en terug te moeten lopen met twee), en de heer bleek in het echt nog charmanter dan aan de telefoon. Hij had een handel in im- en export van allerlei snuisterijen: oranje T-shirts uit Taiwan naast poppen die konden kwijlen, horloges met groene wijzerplaten en minitransistors die je op je revers kon spelden en die schuine moppen vertelden.

Hij schonk Robert de fiets, plus een transistor voor op zijn revers, en hij weigerde hardnekkig de 50.000 lire die Robert hem probeerde op te dringen aan te nemen.

'Ik kom wel een keer een borrel bij je halen,' zei hij.

Ik vind dat dit de stand op dieven twee, Robert tweeënhalf brengt, als je een halve punt rekent voor alle goede wil die de handelaar in snuisterijen heeft getoond. Maar dat niet alleen, want de dreiging van fietsendieven leek met de dag minder te worden.

De stand veranderde in het nadeel van de dieven toen Baskische seperatisten probeerden het Palazzo Borghese, bij ons aan de overkant (er is een Spaans gezantschap in gevestigd) op te blazen. Het enige waar ze in slaagden was de voordeur eruit te blazen en de meeste ruiten op de piazza te breken. Deze aanval bracht een vrachtwagen vol carabinieri, gewapend met automatische geweren, die nog steeds vierentwintig uur per dag voor onze voordeur geparkeerd staan. En pal naast hen is een stevige lantaarnpaal waar een fiets goed aan kan worden vastgezet.

Met mensen als Robert in de buurt kunnen Romeinse fietsendieven maar beter een ander vak kiezen.

7

De rugzaktoeristen

IN HET CENTRUM VAN ROME WONEN KAN HEEL PLEZIERIG ZIJN, maar er zijn bepaalde regels die je moet begrijpen voor je je er volledig kunt ontspannen. We hadden ons er bijvoorbeeld een beetje op verkeken hoe aantrekkelijk een flat met drie slaapkamers op de Piazza Borghese kan zijn. We kregen de eerste aanwijzing in deze richting toen we brieven begonnen te krijgen van oude klasgenoten die we sinds onze schooljaren niet meer hadden gezien.

'Wat vreselijk leuk dat jullie nu in het hart van het oude Rome wonen,' schreef zo'n klasgenoot. 'Het toeval wil dat Roger en ik van plan zijn met Pasen naar Rome te gaan, en we vroegen ons af of jullie ons in jullie omgeving een goede plek om te overnachten kunnen aanbevelen.' We bevalen hun een *pensione* op de Piazza Nicosia aan.

Maar op een middag in mei, aan het eind van de jaren zestig, kreeg Robert een telefoontje van zijn moeder in Boston, met het verhaal dat ze op het ontvangstcentrum voor veteranen uit de Vietnam-oorlog had gewerkt en dat ze twee charmante jongens had ontmoet die onlangs uit de dienst waren ontslagen en die van plan waren een reis door Italië te maken. De ene was een brandweerman uit Omaha, zei ze, en de andere was een heel aardige jongen uit Maine, die van plan was het laatste jaar van zijn studie elektrotechniek te voltooien.

'Ze gebruiken het geld van hun afzwaaien voor deze reis,' vertelde ze Robert, 'dus ze kunnen zich geen luxehotels veroorloven. Ik heb tegen hen gezegd dat ze, als ze problemen hadden, jullie moeten bellen, aangezien jullie hen altijd wel voor een paar nachten kunnen hebben.'

'Maar ma,' protesteerde Robert, 'we hebben maar drie slaapkamers. De arme Gina moet nu al in een kast in de vestibule slapen.'

'Nou, ik weet zeker dat jullie wel ergens een plekje voor hen hebben,' zei mevrouw Cook luchthartig. 'Zij hebben tenslotte voor ons in deze vreselijke oorlog gevochten. Ze zeiden dat ze alleen maar een vloerkleed zochten waarop ze hun slaapzak kunnen uitrollen.'

De dagen verstreken en ik maakte me zorgen over oma's Vietnam-veteranen. Toen ging de zoemer van de voordeurbel en Gina luisterde.

Ze kwam terug met een sombere frons op haar voorhoofd.

'Signora, er staan een paar vreemdelingen bij ons op de bel te drukken. *Non ne capisco proprio niente.* [Ik versta geen woord van wat ze zeggen.]'

Inderdaad, het waren de veteranen die oma Cook had gestuurd. Ik zei tegen hen dat ze met de lift naar boven konden komen, en bijna onmiddellijk verschenen ze: twee jonge Amerikanen in camouflagekleding en met enorme plunjezakken waaraan een opgerolde slaapzak bungelde.

De stevigste van de twee kwam uit Bangor, Maine, en had zijn donkere haar kortgeknipt in een militair kapsel. Zijn kameraad uit Omaha was slank, met lichtblauwe ogen en blond haar dat rond zijn oren kronkelde. Hij had die vage, onschuldige blik waar meisjes van twintig vaak dol op zijn.

'Welkom in Rome,' zei ik opgewekt nadat ze zich hadden voorgesteld. 'Wat kan ik voor jullie doen?'

Het tweetal liet onmiddellijk hun meer dan twintig kilo zware plunjezakken op de vloer neer.

'Nou, eerlijk gezegd,' zei de eerste, 'willen we graag een groot glas water. We hebben de hele dag rondgelopen en we vergaan van de dorst.'

Ik liep met hen naar de koelkast in de keuken en ze keken bewonderend naar de kamers langs de gang.

'Sjonge, u hebt echt een groot huis,' zei de een vol bewondering. 'Dit is het mooiste huis dat we hebben gezien sinds we uit de States zijn vertrokken. Hè, Bronson?' Zijn vriend knikte.

'Zo groot is het nou ook weer niet,' zei ik. 'We hebben twee kinderen en een dienstmeisje. Dus hebben we drie kamers voor onszelf nodig en een voor Gina.'

Het bleef even stil terwijl we elkaar allemaal aankeken, en ik begon me al schuldig te voelen.

De grootste, David, die duidelijk de patrouilleleider was, keek me recht in de ogen.

'We hebben geen kamer nodig,' zei hij met veel vertoon van oprechtheid. 'We hebben tegen mevrouw Cook gezegd dat we best gewoon ergens op een kleed op de grond kunnen slapen. We blijven niet lang in Rome. We zijn op weg naar Positano.'

Ik aarzelde. 'Hoe lang hadden jullie gedacht?' vroeg ik. Ik wilde niet ongastvrij lijken.

'Een paar dagen maar,' zei David.

'Ja, een paar dagen,' herhaalde zijn vriend.

'Nou, laten we dan maar eens kijken welk vloerkleed wij te bieden hebben.'

Ik legde uit dat de vestibule misschien het meest geschikt was, omdat daar al een bed stond en ze er om de beurt in konden slapen, maar ze overzagen de hal en schudden hun hoofd.

'Nee mevrouw,' zei David. 'We willen u niet van uw laatste bed beroven. Misschien is er nog een andere plek.'

Dus gaf ik hun een rondleiding door het huis, waarna ze meer belangstelling voor de woonkamer toonden.

'Hier liggen we tenminste niet in de weg,' merkte David op, terwijl hij naar de televisie en naar de deur naar het terras keek.

Ik kon het niet opbrengen hun te zeggen dat de woonkamer helemaal niet handig was. Maar Davids vriend stapte het terras op en bleek zeer tevreden over wat hij zag.

'Hé, David, dit is een prima plek voor ons. We kunnen onze slaapzakken hier buiten neerleggen en dan zitten we helemaal niemand in de weg.'

De gedachte aan twee veteranen die op ons terras onder de blote hemel en onder het oog van half Rome lagen te slapen, leek me een beetje gortig, maar ik wist niet goed wat ik tegen hun voorstel in moest brengen. Dus toen de kinderen uit school kwamen troffen ze twee potige Vietnam-veteranen druk doende hun plunjezakken in onze woonkamer uit te pakken terwijl ze op onze televisie naar een voetbalwedstrijd keken.

'Maar waarom zitten die twee soldaten naar onze tv te kijken?' vroeg Henry, die nu zeven was.

Ik probeerde hem uit te leggen dat ze veteranen waren die voor ons in een akelige oorlog hadden gevochten en dat we aardig tegen hen moesten doen.

Later die middag, toen de voetbalwedstrijd was afgelopen, vroegen onze nieuwbakken gasten of ze misschien een douche mochten nemen.

'Het is een week geleden dat we voor het laatst een echte douche hebben gehad, en ik vrees dat we daar hard aan toe zijn,' zei David.

Uiteraard willigde ik dit bescheiden verzoek in. Ik gaf de jongens twee handdoeken en ze verdwenen naar de badkamer, waaruit ze drie kwartier later terugkwamen, gehuld in camouflagebroek. Ze hadden hun vochtige handdoek om een rol drijfnatte kleren gedraaid.

'We hebben de kans waargenomen dat we warm water tot onze beschikking hadden om wat kleren te wassen. Is het goed als we deze dingen op het terras te drogen hangen?'

Aangezien het geen dinsdag was – onze dag om wasgoed op het dakterras te drogen – knikte ik instemmend. Vervolgens moest ik toezien hoe het tweetal hun kaki ondergoed over onze bloeiende citroenboompjes drapeerde.

Een uur later ontmoette ik onze buurman, Maresciallo Palinetti.

'Signora! Wat zijn dat voor soldaten die hun kleren in uw mooie citroenboompjes hangen? Zijn het Amerikanen?'

Zijn stem had een semi-officiële klank. Met een ondertoon van verwijt herinnerde hij me aan een oude Italiaanse wet die bepaalde dat als je buitenlandse logés in je appartement had, ook al was het maar voor één nacht, je verplicht was hen bij het vreemdelingenkantoor op de *Questura* aan te melden.

Ik probeerde uit te leggen dat de twee jongens oude vrienden van Roberts moeder waren, zo ongeveer familie. We beschouwden het als onze plicht hun gastvrijheid te bieden, uiteraard slechts voor een paar dagen.

Iets milder gestemd vertrok de Maresciallo weer, nadat hij had voorgesteld dat wij hem na twee dagen de namen van de gasten zouden geven, zodat hij hen bij de Questura kon aanmelden om ons aldus *un mare di guai* (een zee van problemen) te besparen.

Het liep tegen etenstijd en Gina kwam me vragen of die twee

'soldaten' bleven eten. Het enige dat zij van plan was, zei Gina, was *spaghetti al pesto* met salade.

Opnieuw was ik laf.

'Nou, dat is geen probleem, Gina. Doe er gewoon wat meer spaghetti bij en een grote gemengde salade, dan hebben we genoeg voor zes.'

Dus toen Robert uit zijn atelier thuiskwam, trof hij de twee gasten languit op de vloer aan terwijl ze een quiz op de televisie volgden en Henry, die voor hen vertaalde, en Gina, die voor zes personen spaghetti maakte.

De jongens aten maar al te graag mee en werkten in zeer korte tijd hun spaghetti en salade naar binnen. Toen ik besefte dat alleen maar een portie spaghetti misschien een beetje aan de krappe kant was, liep ik naar de keuken om te zien wat we eventueel verder te bieden hadden. Daar ontdekte ik een pakje speciale Parma-ham, die Gina voor de lunch van de volgende dag had gekocht, dus zette ik die op tafel samen met een mand verse broodjes, waarna de twee gasten zich ontfermden over broodjes ham. Toen ze klaar waren, waren de broodjes en de ham op.

Robert, die vaak de neiging heeft de koe bij de hoorns te vatten, richtte zich tot de jongens zodra we van tafel waren opgestaan.

'En, hoe lang zijn jullie van plan in Rome te blijven?' vroeg hij.

Nog op het moment dat ik de kamer uit vluchtte hoorde ik David zeggen: 'Nou, eigenlijk niet zo lang. We zijn op weg naar de kust, bij Amalfi, maar eerst moeten we onze vriend in Positano zien te bereiken, want we kunnen bij hem logeren.'

'Nou, waarom bel je hem dan niet op?' zei Robert, wijzend naar de telefoon. 'Ga gerust je gang.'

Ik was er niet bij toen de twee verbinding met Positano kregen, maar Robert meldde me dat ze, na het een paar keer te hebben geprobeerd, ontdekten dat de vriend die ze zochten voor een paar dagen naar Capri was.

'Ik vroeg hun of hij terug zou komen, maar daar deden ze een beetje vaag over. Ik zie die twee ertoe in staat om hier nog een aantal dagen te blijven hangen. Ik heb gezegd dat als ze nog een dag wilden blijven, ze beter uit eten konden gaan, omdat Gina een hoop was te doen had en haar handen toch al vol heeft met van alles.'

'Ik vraag me af hoe dat met die vriend in Positano zit,' zei ik. 'Toen ik eerder vanmiddag met hen praatte, hadden ze het ook over vrienden in Genua.'

'Precies,' zei Robert. 'Misschien zitten ze hier gewoon te wachten tot ze iets beters hebben gevonden.'

We lieten onze vrienden die avond rond elf uur bij de televisie achter en wensten hun een goede nachtrust op ons terras toe. Toen we de volgende morgen binnenkwamen voor het ontbijt, troffen we hen slapend op ons kleed in de woonkamer aan.

'Wat is er gebeurd?'

'Te veel lawaai,' mompelde David. 'Eerst hadden we last van de katten en toen ging het restaurant dicht. Alle koks en obers gingen toen voetballen in het steegje aan de achterkant. Daarom zijn we ten slotte maar naar binnen gegaan. Hopelijk vindt u het niet erg als we nog wat uitslapen.'

Het resultaat was dat ze weer in hun slaapzakken kropen en tot elf uur bleven slapen, waarna ze besloten nog eens onder de douche te gaan.

'Het verbaast me dat jullie geen haast hebben om erop uit te gaan en Rome te bekijken,' zei ik toen ze uit de badkamer tevoorschijn kwamen. 'Ik stel voor dat jullie eerst met jullie vrienden bellen en daarna het Vaticaan gaan bekijken.'

Ze keken wat ontredderd, maar probeerden toch een paar telefoontjes te plegen – zonder veel resultaat – en daarna vertrokken ze met tegenzin om Rome te gaan bekijken. Ze waren om halfdrie terug in de flat, verlangend naar een glas bier en een dutje in de woonkamer. Zodra ze wakker werden, zetten ze de televisie weer aan.

Toen Robert thuiskwam om te eten, was het duidelijk dat onze gasten niet van plan waren binnen afzienbare tijd te vertrekken. Dus ging hij in de aanval.

'Hoor eens, vrienden, ik moet naar ons buitenhuis om wat bomen te planten en een beetje te snoeien, en ik dacht dat jullie misschien wel mee wilden gaan om een handje te helpen.'

Het tweetal keek elkaar sip aan en toen knikte David, nauwelijks merkbaar. 'Ja, dat zouden we kunnen doen,' zei hij zacht.

Een uur later hadden ze hun wasgoed verzameld en hun plunjezakken gepakt, en weldra zaten ze in onze trouwe Morris Minor.

Twee dagen later belde Robert vanuit signora Giulia's restaurant in Quadroni.

'Nou, onze helden zijn weer op weg, hoor,' zei hij. 'Ze waren echt heel behulpzaam bij het omhakken van die oude eiken op de erfscheiding. Die magere blonde, de brandweerman, bleek heel bedreven met de kettingzaag te zijn. Ik denk dat hij met kettingzagen heeft gewerkt om boeren uit brandende schuren en uit bosbranden te redden. Hij kon de zaag met één ruk aan het koord op gang krijgen, hij heeft een heel sterke rechterarm. Daarna maakte hij aan de ene kant een snee in de stam en aan de andere kant een V-vormige inkeping, en dan viel de boom precies waar hij hem wilde hebben. Ik zei dat ze me net zo lang mochten blijven helpen als ze wilden, maar ze zeiden dat ze weer op weg moesten omdat ze met vrienden hadden afgesproken. Toen we naar het station reden, vroeg ik waar ze naartoe gingen en de ene zei Positano en de andere Genua. Dus ik denk dat ze nog steeds proberen te bedenken wat ze verder willen.'

8

La portiera

DE ROMEINEN VORMEN EEN ACHTERDOCHTIG VOLK. VELEN VAN hen bewaren een zekere afstand tot de *portiere* van hun pand omdat ze ervan overtuigd zijn dat alle *portiere* spionnen van de politie zijn. Misschien is deze angst terecht, maar ik vermoed dat de plichten van de conciërges in de loop der tijden zijn verbleekt tot iets veel minder opwindends dan spioneren. Ze zijn verantwoordelijk voor het openen en sluiten van de hoofddeuren van het gebouw, het schoonhouden van de gangen en trappen, en post in de juiste brievenbussen stoppen.

Omdat we in een ander gebouw veel te lijden hadden gehad onder een akelige *portiera*, was ik toen we naar de Piazza Borghese verhuisden, aangenaam verrast dat onze nieuwe *portiera* een opgewekte vrouw was die als een soort koffiebar voor haar vriendinnen uit de buurt fungeerde. Iemand die zo populair was, dacht ik, kon nooit veel tijd of zin hebben om voor de politie te spioneren.

Angela – zo heette ze – was afkomstig uit Frosinone en was kort na de oorlog naar Rome gekomen om voor 8000 lire per maand haar eerste baantje als *tuttofare* te beginnen. Na verloop van tijd had ze de aandacht getrokken van de portiere van het gebouw, een beschaafde heer die Arcibaldo heette en op tweeënzestigjarige leeftijd weduwnaar was geworden. Toen ze ongeveer een jaar in het pand had gewerkt, deed Arcibaldo iedereen versteld staan door Angela ten huwelijk te vragen. Angela nam dit gretig aan, niet alleen omdat Arcibaldo heel *signorile* (hoffelijk) en *sobrio* (nuchter) was, maar ook omdat de verandering van tuttofare naar portiera een promotie voor haar betekende. Een onverwacht maar heel gelukkig gevolg van dit huwelijk was de geboorte van een zoontje, Gigio, en beide ouders waren zo blij als wat. Helaas kreeg Arcibaldo vier jaar na de geboorte van Gigio een hartaanval en stierf, Angela met een jong kind achterlatend, maar ook met een veilige baan als portiera in het palazzo.

Onwillekeurig vergeleek ik haar leven met dat van een conciërge in de Verenigde Staten. In het Italië van de jaren zestig en zeventig schenen mensen die saaie baantjes en weinig vooruitzichten hadden zichzelf niet als mislukt te beschouwen, zoals hun tegenhangers in Manhattan. Zoals een Amerikaanse wijsgeer het eens stelde: 'Rond de jaren vijftig kwam er in Amerika een tijd dat mensen werden bestempeld als "een succes" of als "een mislukking", met als gevolg dat veel mensen heel ongelukkig werden gemaakt.' Ik geloof dat er in Italië niet zo'n scherpe lijn is getrokken, en de mensen hadden de neiging het beste van hun leven te maken, ongeacht hun vooruitzichten.

Ik genoot van het gekwebbel beneden bij Angela. Een geliefd onderwerp was La Signorina Nicolosi, een wat vogelachtige vrijgezelle vrouw van rond de vijftig, die een grote flat op de bovenste verdieping had en kamers verhuurde aan een reeks alleenstaande arbeiders, die werden geaccepteerd onder de uitdrukkelijke voorwaarde dat ze geen gasten in hun kamer mochten uitnodigen. Angela wist heel goed dat het verhuren van kamers in ons gebouw verboden was, maar omdat ze een goedhartige ziel was, meldde ze de zaak nooit aan onze huisbaas, La Cattolica. Ze vond het verder heel vermakelijk dat La Signorina, ondanks haar strikte morele opvattingen ten aanzien van anderen, jarenlang de maîtresse was geweest van een van haar meest deftige huurders, die eerste violist in een beroemd orkest was en in het appartement een kamer naast die van La Signorina had. De gedachte aan een heimelijke verhouding tussen deze twee kuise en onkreukbare zielen was de oorzaak van veel hilariteit beneden.

Als we over het onderwerp van de sexy signorina waren uitgepraat, kwamen we vaak op het onderwerp dat Angela het meest na aan het hart lag: hoe moest ze een goede vrouw voor haar zoon Gigio zien te vinden? Ten tijde van onze komst was Gigio al drieëntwintig. Hij was een nette jongeman met krullend haar en donkere ogen, maar hij had iets ouderwets en overdreven formeels. In een tijdperk waarin losse, nonchalante manieren in zwang waren, was Gigio bijna te beleefd. Ik vermoedde dat Angela hem had grootgebracht met het idee dat hij eens de portiere zou zijn en dat ze hem daarom alle kwaliteiten moest bijbrengen waarover een portiere volgens haar moest beschikken: kalmte, gehoorzaamheid, betrouwbaarheid – eigenschappen die we nu alleen nog bij butlers in ouderwetse Engelse films tegenkomen.

Gigio leek weinig persoonlijke ambitie te bezitten. Aangezien hij zijn moeder niet in het gebouw hoefde te helpen, had hij een baantje gevonden als bezorger op een Vespa voor het warenhuis Tebro, dat dicht in de buurt was. Dit was zeker geen briljante start van zijn carrière, maar het feit dat hij een *portinerato* (een portiersbaan) in een groot palazzo in het centrum van Rome zou erven, betekende ongetwijfeld dat hij erg aantrekkelijk was, en een aantal jongedames uit de buurt had dan ook een oogje op hem. Bijzonder persistent onder hen was een achternichtje dat Rita heette en uit Angela's geboortedorp Frosinone afkomstig was en nu bij een oom en tante in de buurt van de Piazza Navona woonde. Rita was weliswaar ouder dan Gigio en ook nogal gezet, zoals Angela vaak uitlegde, maar aan de andere kant was ze intelligent en opgewekt, en ik had zo'n idee (in tegenstelling tot Angela) dat zij misschien over de spontane eigenschappen beschikte waaraan het Gigio ontbrak.

Maar Angela wilde er niets van weten – een houding waar ze later spijt van zou krijgen.

'Ik wil niet dat mijn Gigio met zo'n boerenmeid uit Frosinone trouwt,' zei ze. 'Er zijn een heleboel meisjes in Rome die jonger en mooier zijn en die een goede vrouw voor mijn zoon zouden zijn.'

Maar met geen van deze meisjes werd het wat. Dus gingen Gigio en Angela een zekere zomer twee weken naar Frosinone, en toen ze terugkwamen kondigde Angela aan dat Gigio een meisje had gevonden dat hem beviel. Ze heette Monica, en ze zouden over een maand gaan trouwen. Het jonge paar kwam eind september naar Rome terug en Robert, die zich een deskundige op het gebied van vrouwelijk schoon waant, was niet onder de indruk.

'Je kunt wel een vrouw uit Frosinone halen,' beweerde hij, 'maar je kunt Frosinone niet uit de vrouw halen.'

Er school enige waarheid in Roberts woorden. Monica had iets boers over zich. Ze was *con culo per terra* (met haar achterste op de grond) met stevige benen en naar buiten gedraaide tenen. Ze had een bos kroezig haar dat iedere poging tot gladstrijken weerstond. Ze had een agressieve blik in haar ogen en niets van de onzekerheid die je vaak bij jonge meisjes van het land aantreft. Gina, die langs was gegaan om de nieuwe aanwinst in ogenschouw te nemen, was van bange voorgevoelens vervuld.

'Dat meisje is een *prepotente* [gehaaide tante],' klaagde ze. 'Ze zal de arme Angela een hoop narigheid bezorgen.'

In de eerste jaren toonde het meisje haar ware aard nog niet, omdat ze druk bezig was alles over het gebouw te leren en Angela te helpen met allerlei werkjes. Vanaf het eerste begin was haar houding heel anders dan die van haar schoonmoeder. Als Gina haar vroeg om een sleutel van het dakterras om de was op te hangen, was er altijd een probleem. Monica beweerde dan dat de sleutel die dag niet beschikbaar was omdat La Signora Scarpa haar lakens daar juist had opgehangen of omdat La Signorina Nicolosi een grote lading wasgoed te drogen had, wat niet verwonderlijk was, omdat ze vijf of zes pensiongasten had die iedere dag een schoon overhemd aantrokken. De signorina gebruikte het dakterras bij warm weer ook om opgerolde ballen van nat krantenpapier te drogen, om die later in plaats van kolen in haar fornuis te verstoken.

'Monica is ook een *ruffiana* [flirt],' klaagde Gina op een dag. 'Iedere keer dat er een monteur komt om de watertanks op het dak te repareren, gaat ze naar boven om te helpen, en dan staat ze te giechelen alsof hij haar *fidanzato* [verloofde] is. Ze vergeet dat ze een getrouwde vrouw is.'

Er waren ook moeilijke dagen als het regende, zodat we naast Monica's wasgoed belandden, en het slot van het liedje was altijd dat Monica ons wasgoed over de lijn naar de hoek schoof, opdat haar wasgoed de volle zon kon krijgen.

'U zult zien,' voorspelde Gina somber, 'dat die meid uit Frosinone overal problemen gaat maken.'

De klap kwam eerder dan we verwachtten. Op een dag vroeg in het voorjaar ging ik op weg naar buiten langs het kantoortje van de portiera om bij Angela een boek achter te laten dat zij aan een vriendin zou geven. Toen ik het Angela aanreikte, griste Monica het weg.

'Signora, u moet niets aan Angela geven,' zei ze abrupt. 'Ik ben nu de portiera.'

Ik keek Angela verbaasd aan, maar zij vermeed mijn blik.

Gina vertelde me 's avonds het hele verhaal.

'U zult het misschien niet geloven, maar die *bisbetica* [haaibaai] heeft Angela's baan ingepikt. En ze heeft die arme domme Gigio ook te grazen genomen.'

Het verhaal was dat Monica, teneinde het gezinsinkomen te verhogen, schoonmaakte bij een architect die op de bovenste verdieping woonde en directeur bij La Cattolica bleek te zijn. La Cattolica had de gewoonte appartementen tegen vriendenprijsjes aan hooggeplaatste medewerkers te verhuren. Monica had zich danig voor deze heer uitgesloofd met boodschappen voor hem doen en hem iedere morgen zijn krant te brengen, en uiteindelijk had ze hem ervan weten te overtuigen dat Angela, omdat ze de pensioengerechtigde leeftijd had bereikt, recht had op een goede financiële regeling en dat zij, Monica, de baan van portiera onmiddellijk moest overnemen. Ze legde uit dat het pand een jonger, agressiever iemand aan het roer behoefde en dat zij, vanwege haar behendigheid in het optellen van lange rijen getallen, beter voor die baan geschikt was dan haar man Gigio.

Toen het contract voor de portiera moest worden vernieuwd, was Monica's vriend, de architect van boven, erin geslaagd de tekst vóór de handtekening te veranderen. Het bleek dat Angela de strekking van het document niet helemaal had begrepen en dat ze het had ondertekend omdat haar was verteld dat ze met onmiddellijke ingang een goed pensioen zou krijgen en de rest van haar leven in de portinaio kon blijven wonen. Monica verzekerde haar eveneens dat Gigio zijn baantje als loopjongen graag zou voortzetten, zodat de familie twee salarissen in plaats van één zou binnenkrijgen.

Gina probeerde Angela te laten inzien dat ze in de val was gelokt met deze onverwachte pensionering. Maar Angela kreeg van de directeur de verzekering dat alles bij het oude zou blijven; ze kon hetzelfde blijven doen als eerst, geholpen door een jongere vrouw, en het inkomen van de hele familie zou erop vooruitgaan. Een wel heel optimistisch scenario. Monica pikte alle taken van de portiera in en alles veranderde met verbijsterende snelheid. In plaats van een volle dag om het wasgoed op het dakterras te kunnen drogen, kregen we nu allemaal nog maar een halve dag per week. Korte tijd later hing ze in de vestibule een briefje op dat haar kantoortje 'overeenkomstig de wettelijke voorschriften' iedere dag van twaalf tot twee gesloten zou zijn en dat zij in die periode 'buiten dienst' zou zijn. Dus zou er, als er gedurende lunchtijd speciale post of pakjes werden bezorgd, niets worden aangenomen en zouden de geadresseerden zich twee dagen later bij het postkantoor moeten vervoegen.

Na een halfjaar werd het Angela allemaal te machtig en besloot ze haar biezen te pakken en in Frosinone bij haar zuster, die weduwe was geworden, te gaan wonen. Ze vertrouwde Gina toe dat haar schoondochter haar uit haar slaapkamer had verjaagd, zodat haar eigen moeder daar kon komen logeren, en Angela moest toen in een vochtige kelderslaapkamer onder het kantoortje van de portiera slapen. Haar pensioen bleek ook een stuk minder te zijn dan haar was voorgespiegeld.

De sfeer in het kantoortje werd steeds bedrukter.

Gigio begon er gekweld en bezorgd uit te zien. Weldra meldde Gina dat Monica en Gigio scheiding van tafel en bed hadden aangevraagd en dat hij bij zijn moeder was gaan wonen. Om zijn baantje bij het warenhuis te behouden moest hij nu iedere dag twee uur met de bus van Frosinone naar Rome en weer terug.

Tegelijkertijd kreeg Monica kennis aan een nors uitziende man die als vergulder in een naburige lijstenwinkel werkte. Hij kwam Monica vaak op zaterdagmorgen met zijn Alfa Romeo ophalen en dan vertrokken ze voor het weekend naar zijn huisje aan zee in Ladispoli.

In de loop der maanden was Monica erin geslaagd de meeste huurders in het gebouw in haar macht te krijgen. Ze deed ook vaak op vrijdag al de *portone* (hoofdpoort) dicht, zodat we allemaal van donderdag tot maandag van post verstoken waren. En iedere keer dat we probeerden de vuilnis vóór zeven uur 's avonds buiten te zetten omdat we uit eten gingen, hoorden we een scherp 'Signora!' uit haar deuropening en werden we eraan herinnerd dat we onze vuilnis niet vóór acht uur 's avonds buiten mochten zetten. 'Zet hem maar neer waar u wilt,' riep ze dan. 'Gooi hem in het steegje naast de kerk, zolang het maar niet bij mijn pand is.'

Daarna ontbood ze me op een middag in juni in haar kantoortje en gaf me een stapel papieren die ik moest tekenen. 'Een paar routinezaken,' zei ze. Ik ging op haar stoel zitten om de papieren te bekijken, en ik ontdekte onder aan de pagina dat huurders die tekenden ermee instemden 'verantwoordelijkheid op zich te nemen' gedurende een periode van twee maanden in de zomer, wanneer er een 'aanvullende functionaris' zou komen om de post te behandelen. Het bleek dat de 'petitie' Monica's poging was om zichzelf van een lange zomervakantie te verzekeren terwijl de nietsvermoedende huurders de rekening betaalden voor haar vervanging van twee maanden.

Toen ik haar vroeg of ze deze zaak met La Cattolica had besproken, antwoordde ze dat dit gewoon een overeenkomst tussen haar en de huurders van Piazza Borghese 91 was en dat het niet nodig was dit aan de Cattolica-mensen te vertellen. Toen ik dat hoorde, gaf ik de papieren aan haar terug met de verklaring dat ik met Robert moest overleggen, en ik waarschuwde diverse andere huurders van de *imbroglio*, die op hun beurt weigerden te tekenen. Monica was danig ontstemd.

Daarnaast deed zich herhaaldelijk het probleem van haar neefje Giorgio voor. Hij kwam vaak op zijn opgevoerde motor uit Frosinone om het weekend bij zijn tante in Rome door te brengen. Giorgio droeg een zwarte spijkerbroek en een zwartleren jack, en hij had het kapsel van een skinhead. Marcello, van de tijdschriftenwinkel aan de overkant, legde me uit dat Giorgio een typische *teppista* (relschopper) uit de provincie was, die naar Rome kwam om 's nachts allerlei vandalisme uit te halen: voetbalrellen of politieke opstootjes, of zelfs zakkenrollen en kleine diefstallen. Maar zijn activiteiten werden soms ingeperkt doordat zijn motor het begaf.

Toen we op een koude winteravond naar bed wilden gaan, klonk er in de Vicolo di San Biagio een vreselijk geronk van motorfietsen. We keken naar buiten en zagen daar twee donkere gestalten die aan een motor zaten te sleutelen. Omdat het over twaalven was, boog ik me uit het raam en riep: '*Basta*. Wij willen slapen.'

De twee figuren reageerden niet en gingen verder met hun ge-

77

ronk, waarna Robert naar hen riep dat ze weg moesten gaan en dat hij anders de carabinieri zou bellen. Nog steeds geen reactie van het tweetal. Op dat punt liep ik naar de keuken, vulde daar een flinke emmer met water, liep ermee naar het open raam en kieperde de inhoud over de gestalten uit. Ik mikte goed: het water doorweekte hun hoofd en schouders. Toen begonnen de jongens, van wie de een kennelijk Giorgio was, kwaad tegen ons terug te schreeuwen, maar we deden het raam dicht en gingen naar bed. De twee onverlaten maakten hun motoren met kettingen aan de dichtstbijzijnde lantaarnpaal vast en verdwenen. Het steegje was stil voor de nacht.

Toen ik de volgende morgen de post ging ophalen, werd ik door een strenge stem vanuit het kantoortje van de portiera geroepen.

'Signora!' Het was Monica. 'Signora, hebt u gisteravond water naar Giorgio gegooid?'

De lafaard in mij stelde voor dat ik alles zou ontkennen. Maar ik wist dat dat een vergissing zou zijn. 'Natuurlijk heb ik met water gegooid,' zei ik streng. 'Ze hielden de hele buurt na twaalf uur wakker.'

'Zo,' zei ze. 'Het was een heel koude nacht, en dat koude water op hun hoofd bezorgt hun misschien wel een *bronchopolmonite*. Of erger.'

Een jaar lang wisselden de portiera en ik geen woord. De situatie werd steeds slechter en uiteindelijk zei Robert met Kerstmis: 'Zo kunnen we niet doorgaan. Ik ga die heks dit jaar een fooi geven en dan moeten we maar eens zien wat er gebeurt.'

Omdat hij niet met haar wilde praten, deed hij 100.000 lire in een envelop en stopte die in haar brievenbus. Toen ik de volgende morgen naar buiten ging, begroette ze me met een vriendelijke glimlach en bedankte me hartelijk voor *il pensiero* (de attentie).

Opeens werd al onze post iedere dag netjes in onze brievenbus gelegd en als we een groter pakket kregen, bewaarde ze dat zonder klagen in haar kantoor en liet een briefje bij ons achter om het op te komen halen. Met Pasen gaven we haar opnieuw een fooi. Daarna lieten we alle terughoudendheid varen en lieten geld voor haar achter met Ferragosto, de feestdag halverwege augustus, die ook met cadeautjes gepaard gaat.

Monica's verandering van humeur was niet van korte duur. We

hebben nu een portiera die ons iedere morgen opgewekt begroet, naar onze gezondheid informeert, en me zelfs met Pasen een clivia in een pot geeft. Zoals de tv-komiek Renzo Arbore het zo wijs stelde: '*Meditate, gente, meditate.*' Nou, we denken goed na.

9

Geraamtes onder ons terras

EÉN BELANGRIJKE LES DIE IK LEERDE BIJ HET TUINIEREN OP EEN terras is dat je er nooit op kunt rekenen dat anderen je terras goed water geven als je weg bent. De buren zullen beloven te helpen, maar er gebeurt altijd iets onvoorziens, zoals een kind dat ziek wordt of een oom die op bezoek komt, waardoor er toch niet zoveel van terechtkomt. Uiteindelijk ben je genoodzaakt terug te vallen op de onwillige *portiera*, maar aangezien zij jou in wezen een gunst bewijst, heb je geen recht om te klagen als ze slechts om de dag gedurende vijf minuten water komt geven. Wanneer je na een afwezigheid van tien dagen weer thuiskomt, zul je, zelfs als je bloemen je verlept en kwaad aankijken, haar moeten bedanken omdat ze je terras in leven heeft gehouden.

Uiteindelijk wist Piero – Gina's socialistische neefje – ons te voorzien van een goed watersysteem met sproeiers en druppelaars, thermostaten en tijdschakelaars, die konden worden ingesteld om een paar keer per dag aan en uit te gaan. Net als bij alle andere technische systemen had ik bijna een week nodig om te begrijpen hoe alles werkte, maar ik ontdekte ten slotte dat ik als ik wat met de hand geschreven instructies opvolgde, alles ongeveer een halfjaar voluit kon laten draaien – van mei tot oktober – om in de koelere maanden langzaam te minderen tot de planten één keer per week een kleine hoeveelheid kregen.

Het systeem is niet honderd procent volmaakt, maar het heeft ons aan de andere kant nooit echte rampen opgeleverd. (Het heeft zichzelf bijvoorbeeld nooit vanzelf ingeschakeld om dan twee weken te blijven draaien, zodat het hele gebouw onderstroomde, een tragedie waarvan al mijn Romeinse vriendinnen me verzekerden dat die zich vroeg of laat zou voordoen. Het heeft zichzelf evenmin ooit zomaar uitgeschakeld, met een onmiddellijke woestijnvorming tot gevolg.)

Mijn problemen zijn alledaagser. Af en toe komt de grote merel, die een harem op de nok van het dak van de Chiesa del Divino Amore heeft, met een van zijn vriendinnetjes naar ons toe om in de potten te pikken op zoek naar wormen of verse mest. De vogels trekken soms de kleine watersproeiers eruit, zodat een pot volledig zonder water komt te staan, en alleen als dit snel wordt ontdekt kan de plant worden gered. Verder bestaat er het gevaar van sigaretten-peuken en een enkel bierblikje dat naar beneden wordt gegooid door onze criminologische buurman, de professor, een verdieping boven ons. Maar de ergste bedreiging is afkomstig van de eigenaren van ons gebouw, La Cattolica, die lijden aan de hardnekkige fixatie dat het watergeefsysteem op ons terras de oorzaak is van alle lekka-ges en overstromingen die zich aan onze kant van het gebouw voor-doen.

Als gevolg daarvan hebben ze ons terras diverse keren overhoop-gehaald. De eerste keer was het op instigatie van signora Scarpa op de verdieping beneden ons, die tegen de huisbaas klaagde dat het water van ons terras door haar plafond heen sijpelde en veel schade aanrichtte aan haar oosterse tapijt, een erfstuk van onschatbare waarde. We hadden altijd op goede voet met de signora verkeerd. Haar hartelijkheid strekte zich uit tot de katten en duiven in de buurt en om haar liefde voor deze dieren te tonen, wierp ze regel-matig kruimels en restjes spaghetti op het dak van de kerk, in de on-juiste veronderstelling dat ze hiermee de twee katten die daar vaak kwamen zou helpen. In werkelijkheid kregen deze dakhazen, die zich nooit naar straatniveau waagden, waar de woeste straatkatten rondhangen, uitstekend te eten en hadden ze niet de minste be-langstelling voor het voer. Ook de duiven waren niet overmatig geïnteresseerd in het brood, maar de dieren die er het meeste ple-zier van hadden waren de kerkmuizen, die deze voorraden op het dak ontdekten en van hun hoofdkwartier in de kerk naar het dak verhuisden, waardoor er een soort muizenfarm ontstond, vlak naast het open dakterras waar de nonnen hun wasgoed ophangen. Deze verzameling muizen trok weldra allerlei roofvogels aan. Opeens daalden er grote aantallen merels, kraaien en zelfs krijsende zwermen meeuwen op Rome neer.

Maar om naar ons terras terug te keren: La Cattolica stuurde ons een brief dat ten gevolge van de klacht van signora Scarpa ons terras helemaal moest worden opengebroken, waterdicht moest worden gemaakt en daarna opnieuw moest worden gelegd. Maar voordat dit kon gebeuren moesten we alle potten eraf halen. Gehoorzaam als trouwe honden sjouwden we alle potten – een stuk of honderd, waaronder twee loodzware citroenboompjes – de drie treden op naar onze woonkamer, die ook over een minder belangrijk Perzisch tapijt beschikte. We rolden het tapijt op en bedekten het grootste deel van de vloer met oude lakens, en drie volle weken lang was onze woonkamer een geïmproviseerde plantenkas. Het was uiteraard niet zo eenvoudig om planten in een woonkamer te houden en ze daar goed water te geven, aangezien de potten lekten, de citroenboompjes hun vruchten lieten vallen en alle planten geweldig te lijden hadden van het opeengepropt staan in een benauwde en zonloze ruimte.

Het werk om dit lek te stoppen leek eindeloos te duren. Vijf potige werklieden uit de Abruzzen moesten de oude terrastegels eruit halen, met gebruik van pikhouwelen en pneumatische boren die wolken betongruis in onze woonkamer bliezen. Het grootste deel van dit puin werd vervolgens via een ouderwets katrolsysteem langs de zijkant van het gebouw afgevoerd om beneden te worden ingeladen. Bij deze operatie hoorde veel geschreeuw en gebrul vanaf onze tweede verdieping naar straatniveau, en het daaropvolgende kabaal maakte gesprekken tijdens de lunch nagenoeg onmogelijk. En wanneer er werkelijk grote attributen naar boven moesten worden gebracht – enorme rollen bitumenpapier, kratten met zware terracotta tegels of emmers hete teer – kon de katrol dit niet aan, zodat de bouwvakkers ze met de lift naar boven moesten brengen en ze daarna zestig meter door onze smalle gang en door de eetkamer en de woonkamer moesten zeulen om het terras te bereiken.

Dit transport begon om ongeveer zeven uur in de morgen en duurde tot vijf uur 's middags, met een uur vrij tussen de middag, en het voortdurende gerinkel van de deurbel werd dermate irritant dat we ten slotte de deur op een kier lieten staan. Deze opendeurpolitiek betekende natuurlijk wel dat we, wanneer we in badjas en met handdoek om het hoofd uit de badkamer kwamen, alle kans hadden zwetende arbeiders met grote emmers vol spijkers of *pozzolana* (cement en kalk) op hun schouders tegen het lijf te lopen. We stuitten eveneens herhaaldelijk op een ober uit het café aan de overkant met een blad espresso voor de functionarissen van Regione Veneto, wier kantoor – dat was hij even vergeten – een verdieping lager lag dan ons appartement.

Ik weet niet hoe het in andere landen gaat, maar als je in Italië arbeiders in je huis hebt, word je langzaam maar zeker een soort onvrijwillige helper, een *manovale* (handwerker), die voor al het opruimen en schoonmaken zorgt. Eerst heeft een *muratore* (metselaar) een schroevendraaier nodig, die hij kennelijk zelf is vergeten. Daarna vraagt hij je of je misschien een schop hebt, of een kan koud water, omdat hij zo'n droge keel heeft, of wat aspirines, omdat hij hoofdpijn heeft. Bij wijze van dank voor je goedheid zal hij je beste smeedijzeren terrasmeubilair als geïmproviseerde ladder gebruiken en zal hij zijn speciale voegsel in je mooiste koperen plantenpot mengen.

De arbeiders beschouwden het ook als de gewoonste zaak van de wereld om zichzelf aan het eind van de middag schoon te maken door ons kostbare watergeefsysteem als douche te gebruiken. Uiteindelijk hadden we gruis in ons bed, kapotte sporten op onze ladder en een doorgezakte terrasstoel die ze hadden geprobeerd tot werkbank om te vormen – en ook een kapot watergeefsysteem. Dit alles betekende dat toen de planten weer op hun rechtmatige plaats op het terras werden gezet, ze in zo'n vreselijke staat verkeerden dat het bijna zinloos leek te proberen ze weer tot leven te brengen. We kwamen vervolgens tot de ontdekking dat van snelle wederopstanding hoe dan ook geen sprake kon zijn, omdat onze watertechnicus, de glimlachende Piero, voor een vakantie van drie weken naar Stromboli was vertrokken.

Vier maanden later begonnen de dingen net weer een beetje normaal te worden toen ik een telefoontje kreeg van een mevrouw van La Cattolica. Er was een nieuw lek boven het oosterse tapijt van signora Scarpa ontstaan, zei ze, maar we hoefden ons geen zorgen te maken; deze keer hadden ze besloten dat het lek óf onder het trapje van ons terras moest zitten, óf verband hield met de regenpijpen. Dus hoefde er maar één hoek van de terrasvloer uit, zodat de pijpen konden worden gevonden en het lek kon worden gedicht.

'U begrijpt natuurlijk,' zei ze, 'dat u uw planten die rond de pijpen staan zult moeten weghalen.'

Ik deed alle moeite om mijn stem kalm te houden. 'Nee, we kunnen de planten geen tweede keer weghalen. U zult eromheen moeten werken,' zei ik.

Ze wees me er op dreigende toon op dat ze zo nodig een gerechtelijk bevel kon krijgen om ons de planten te laten weghalen.

'Dat zou een grote vergissing zijn,' antwoordde ik, 'want als u het over gerechtelijke zaken hebt, dan moet ik u erop wijzen dat de mensen van La Cattolica het bestemmingsplan hebben overtreden. Dit pand hoort woonruimte te bieden. Maar u verhuurt de benedenverdieping aan een commercieel restaurant.' Ik doelde op de Romeinse tak van het beroemde El Toula-restaurant dat de halve benedenverdieping in beslag nam, met een keuken die rechtstreeks op de Vicolo di San Biagio uitkwam, pal onder onze slaapkamers. Ik legde uit dat deze keuken, waar tien of twaalf Venetiaanse koks werkten, de lawaaierigste plek in het hele centrum van Rome was en alle bewoners danig uit de slaap hield.

'Het zou nog tot daaraan toe zijn als het een bedrijf was dat binnenshuis werkte, zoals een accountantskantoor,' zei ik, 'maar de koks en de obers van El Toula zijn een stelletje gekken en ze vinden het de normaalste zaak van de wereld om om twee uur 's nachts een luidruchtige voetbalwedstrijd in het steegje te beginnen. Ze zetten hun radio keihard aan en ze houden er bij het keukenraam ook een soort kiosk op na, waaruit ze vanaf middernacht gratis drinken en rauwe ham uitdelen aan hun vriendinnetjes en ander straatvolk.' Ik begon vervolgens over de rammelende vuilniswagen die iedere nacht langskwam zodra El Toula dichtging, en de vier vuilnismannen die het afval niet oppakten en het zachtjes in de vrachtwagen zetten; ze grepen de lege flessen stuk voor stuk beet en gooiden die hard op de metalen vloer van de vrachtwagen, waar ze als granaten explodeerden.

Toen ik even zweeg om op adem te komen, onderbrak de mevrouw van La Cattolica me om op verzoenende toon uit te leggen dat de mannen die de reparaties aan het terras zouden verrichten alleen maar pijpen zouden opgraven, niet de vloer, en dat ze hun zou vragen ons te helpen de grootste planten naar onze woonkamer te sjouwen.

Ik zal niet uitweiden over alle kwellingen van onze tweede invasie van werklieden, behalve om te zeggen dat er ditmaal minder planten in de woonkamer stonden, omdat veel van mijn oorspronkelijke planten het loodje hadden gelegd. Daarom waren we in staat op een iets beschaafdere wijze ons dagelijkse leven voort te zetten. Maar de vijfde dag beseften we rond lunchtijd opeens dat we al een paar uur niets meer van de werklui hadden gehoord. We tuurden uit ons raam naar de Vicolo di San Biagio en ontdekten vier politievoertuigen met zwaailichten en daarnaast politie die bezig was het gebied met geel plastic tape af te zetten om het publiek te weren. Er stonden diverse mensen, inclusief een aantal koks van El Toula, vanuit hun deuropening werkeloos toe te zien en aan de overkant stonden drie nonnen van de Chiesa del Divino Amore door polyester gordijnen vanaf hun raam op de eerste verdieping te gluren.

Ik ging naar beneden om te onderzoeken wat er aan de hand was, maar de politie was niet van zins me door te laten.

'Non si passa,' zei een ernstige man van de carabinieri. 'É una cosa seria, molto seria. [Het is een heel ernstige zaak.]'

'Wat is er precies aan de hand?'

Hij liet zijn ogen zakken vanaf een punt vlak boven mijn hoofd, waar hij aandachtig naar had staan kijken.

'Omicidio,' zei hij, 'omicidio in un armadio [moord in een kleerkast].'

Na die bom te hebben laten vallen liep hij weg. Ik schoof een eindje opzij en kwam naast een kok van El Toula te staan, die ik herkende als een van de leiders van de middernachtelijke uitbundigheden.

'Che succede?'

Hij besloot dat mijn vraag ermee door kon, dus keek hij me aan. 'De bouwvakkers waren bezig een oude pijp eruit te halen die door de slaapkamer van de pellicciaia (bontwerkster) op de benedenverdieping liep, en toen trapten ze de deur van een oude houten *armadio* open. Erin vonden ze een geraamte, en ze denken dat het gaat om de botten van de zuster van de *pellicciaia*, een zekere Immaculata, die twee jaar geleden is verdwenen. Ze hebben de pellicciaia al aangeklaagd wegens moord.'

'Je bedoelt dat dat lijk twee jaar in die armadio heeft gezeten?'

De kok glimlachte grimmig, alsof hij een pad in de tortellini had aangetroffen. 'Toen het vorige zomer erg warm was, zat ik vaak buiten om de kip in aspic en de vichyssoise te maken, en toen rook ik een vreemde lucht die uit dat raam leek te komen.'

De kranten deden een dag of drie verslag, maar omdat de zusters geen revuemeisjes of de minnaressen van vooraanstaande politici waren, maar slechts twee excentrieke oude vrijsters, die in hun levensonderhoud voorzagen door nieuwe chinchillakragen op oude nertsjassen te naaien, leek het niemand iets te kunnen schelen of ze levend of dood waren.

De hele volgende week was het steegje onder ons terras afgezet en mochten onze loodgieters de lekkende afvoerpijpen niet repareren. Aan het begin van de tweede week verklaarde een klein artikel in de *Messaggero* dat de Romeinse procureur de zaak haastig had gesloten. Zijn oordeel? De dode zuster was door onbekende oorzaak gestorven. De levende zuster werd vervolgens naar een inrichting aan de andere kant van Monte Mario overgebracht.

La Cattolica trok zich van dit alles niets aan en stuurde een medewerker die alle restjes hermelijn, bever en marter in plastic zakken stopte en meenam, en vervolgens een laag witkalk over de vermoeide muren smeerde. Het bontwerkersatelier werd vervolgens voor een krankzinnig bedrag verhuurd aan een intelligente jonge computerprogrammeur met eigentijdse stoppels en Gucci-instappers. Ik denk niet dat iemand in het pand hem ooit over het skelet heeft verteld.

Het bleek dat de lekkage op het Bochara-tapijt ongeveer op hetzelfde moment ophield als dat het geraamte werd ontdekt, en men veronderstelde dat het oorspronkelijke lek was veroorzaakt door een soort verstopping in de afvoer die langs de oude armadio liep. De bouwvakkers kwamen lang genoeg terug om hun gereedschap bijeen te garen en onze planten het terras weer op te sjouwen. Toen pas realiseerde ik me dat er diverse planten ontbraken, waaronder mijn zeldzame bonte *Hedera colchica* 'Dentata', die ik uit Kerala had meegebracht. Ons automatische irrigatiesysteem, dat zo goed was voor douches aan het eind van de middag, was opnieuw kapot. Toch zag het terras er van een afstand lang niet gek uit. Twee dagen later begonnen we aan de vreugdevolle taak van alles opnieuw beplanten.

II

Vrienden en Bloemenmensen

Vrienden

-

Buren

-

Kattendames

-

Ongewone tuiniers

Toen we ons goed en wel hadden gesetteld, kregen we de tijd om ons op an-
deren te richten en nieuwe mensen te ontmoeten. Omdat we emigranten
waren raakten we weldra bevriend met andere buitenlanders in Rome,
maar ik kan tot mijn genoegen zeggen dat dit een hartelijke relatie met
Italianen beslist niet uitsloot, vooral niet met diegenen die hadden gereisd
of in het buitenland hadden gestudeerd, of die interesses hadden die hun ci-
gen familiebeslommeringen te boven gingen. Na verloop van tijd beseften
we dat de beste vrienden die we in Rome hadden gemaakt, stellen waren
van wie de een Italiaans was en de ander een buitenlander. Er gaat niets
boven een huwelijk met een buitenlander om je horizon te verbreden, zo-
wel op cultureel als op emotioneel gebied.

Aangezien tuinieren en ecologie heel belangrijk voor me waren en ik
over de Italiaanse tuinwereld schreef, leerden we na verloop van tijd men-
sen kennen die zich hier eveneens mee bezighielden, niet alleen in Italië
maar over de hele wereld. Daarom gaat het middendeel dat nu volgt voor-
namelijk over de mensen die ik op deze manier heb leren kennen. Ik begin
met twee buitenlanders, een uit Mobile, Alabama, en een uit Liverpool,
Engeland, die schitterende terrassen op de daken van Romeinse huizen
hebben aangelegd.

Toen ik lid was geworden van de tuinclub van Rome, ontmoette ik veel
Italiaanse vrouwen die zich intensief met tuinieren bezighielden. Onder
hen bevonden zich twee Caetani-prinsessen, moeder en dochter, die het
grote Caetani-landgoed in Ninfa ontwikkelden tot een van de mooiste tui-
nen van het land. Ik leerde ook wat minder beroemde dames kennen en be-
wonderen, van wie er twee een uniek ecologisch plekje ontwikkelden in de

moeizame en gevaarlijke grond van het door de maffia geteisterde Palermo, en twee andere dames in Rome, die me lieten zien hoe je de oude regels
over tuinieren met rozen kunt overtreden.

Ik had ook het geluk enkele uitstekende mannelijke tuiniers te leren
kennen, onder wie een Engelse lord die bezig is een verwaarloosde tuin in
Chigi bij Siena te restaureren, en een Australiër die de meest uitgebreide
kruidenkwekerij in Italië heeft opgezet.

10

Eugene en de naoorlogse vernieuwing

DE MEESTE MENSEN DIE IN DE JAREN NA DE OORLOG NAAR ROME kwamen, maakten zichzelf graag wijs dat Rome in het begin van de jaren vijftig een soort replica was van het Parijs in de jaren twintig en dertig. Aan toekomstige historici de taak te beoordelen of de opwinding die we voelden gerechtvaardigd was.

Zodra de vijandelijkheden in 1945 waren gestaakt, trok een groot aantal Britse kunstenaars en schrijvers naar Italië. Onder de eerste nieuwkomers bevonden zich de Engelse schrijvers Graham Greene en George Orwell. De Amerikaanse toevloed was veel groter en duurde veel langer, omdat de Yanks met heel oude en heel langzame schepen naar Europa moesten reizen, want de snellere middelen van transport waren nog steeds in gebruik om troepen uit de oorlog naar huis te brengen. (Men vergeet vaak dat het tot 1958 duurde voordat vliegtuigen meer passagiers over de Atlantische Oceaan vervoerden dan schepen.) Onder de Amerikaanse schrijvers die in die jaren naar Rome kwamen, bevonden zich Sinclair Lewis, John Steinbeck, Mary McCarthy, Gore Vidal, Ralph Ellison, William Styron en Tennessee Williams. Onder de vooraanstaande schilders die zich bij deze exodus voegden was Willem de Kooning.

Het grootste deel van de Amerikanen die naar Italië kwamen bestond niet uit beroemde namen, maar uit onbekende dichters, schrijvers en kunstenaars (onder wie Robert), wier reis voor een groot gedeelte werd gesubsidieerd door twee vooruitstrevende wetten die het Amerikaanse Congres had aangenomen. De ene wet was de Fulbright Law, die speciale beurzen verleende aan uitverkoren kunstenaars die veelbelovend leken. De andere wet, de GI Bill of Rights, was een veel uitvoeriger stuk wetgeving, dat fondsen verschafte aan alle Amerikaanse oorlogsveteranen die na de oorlog hun opleiding wilden voltooien. Een verrassend groot aantal van hen ging een paar jaar naar Europa om te beslissen wat ze met hun leven wilden doen, en velen van hen zetten hun loopbaan in de kunst voort, iets wat ze zonder de GI Bill nooit hadden kunnen doen. De bijdrage die dit aan de kunstwereld van de Verenigde Staten leverde, was van onschatbare waarde.

De New Yorkse kroniekschrijvers hebben het vaak over de 'Gouden Eeuw' die na de Tweede Wereldoorlog in New York City volgde, met als grote voormannen figuren als Truman Capote en Andy Warhol. Maar zoals dat met gouden eeuwen wel vaker het geval is, had het Warhol-tijdperk meer met publiciteit en roddels van doen dan met kunst. Want terwijl deze New Yorkse beroemdheden de glibberige helling van de snelle roem bestormden en er even hard weer afgleden, werden wij in Rome geïnspireerd en beziggehouden door onze eigen amusante en talentvolle kunstenaars.

Een van de innemendsten van hen (en het middelpunt van een groot deel van de buitenlandse kolonie in Rome) was een jonge kunstenaar en schrijver, Eugene Walker genaamd, die uit Alabama was gekomen dankzij het feit dat hij in de oorlog drie jaar op een ijzige VS-basis op de Aleoeten voor de kust van Alaska had gediend. Gore Vidal, die ook op de Aleoeten had gediend, schreef over Eugene: 'Truman Capote loog om anderen te kwetsen; Eugene Walker, ook wel "de andere Capote" genoemd – de goede – loog alleen om anderen te plezieren.' Een andere fan van Eugene, de schrijfster Muriel Spark, zei over hem: 'Eugene Walker hield in Rome een soort salon; hij was een onofficieel ontvangstcomité en alle wegen leidden naar hem.'

Gelukkig leidde een van mijn wegen – via een iristuin – me al heel vroeg naar Eugene, en ik besefte onmiddellijk dat ik me in de aanwezigheid van een veelzijdig genie bevond. Ik ontmoette hem voor het eerst op de Appia Antica, in de iristuin van signora Monica Sgaravatti. Signora Sgaravatti kruiste en kweekte irissen, en ieder jaar in mei stelde ze haar tuin twee weken open voor alle irisliefhebbers uit Rome.

De signora was een lange vrouw van half vijftig die niet van fratsen hield. Ze liep meestal rond in een blauwe kiel met speciaal ontworpen zakken, waarvan de ene een snoeischaar en een andere een plantschepje bevatte. De derde zak was een afknoopbare zak waarin alle uitgebloeide irisbloemen werden gestopt. Ik nam aan dat haar dienstmeisje later de hele zak eraf zou halen en de uitgebloeide bloemen zou weggooien.

Toen we voor de eerste keer een rondgang door haar tuin maakten, zag ik dat onze gastvrouw op de hielen werd gevolgd door een vrolijk uitziende jeugdige Amerikaan, die een beige linnen pak met een witte roos in zijn knoopsgat en een ecrukleurige panamahoed droeg. Hij liep pal achter de signora, die snel doorstapte, en luisterde naar elk woord dat ze zei en maakte af en toe aantekeningen in een notitieboekje. De signora zag dat hij vol aandacht was en ze draaide zich om om hem in het gesprek te betrekken.

'U hebt kennelijk belangstelling voor irissen,' zei ze. 'Kweekt u die zelf?'

'Inderdaad,' antwoordde de jongeman prompt. 'Ik heb op dit moment ongeveer twintig variëteiten *Iris germanica* op mijn terras in Rome.'

De signora keek hem ongelovig aan. 'Op een terras! In Rome! Ik geloof u niet. Op een terras kun je geen irissen kweken!'

De jongeman glimlachte tevreden. 'Als u me niet gelooft, komt u dan maar kijken.' Hij zei dit in vloeiend Italiaans, met een sterk zuidelijk accent.

'Maar welke variëteit kweekt u?' vroeg ze nieuwsgierig. 'Ik neem aan dat het de gewone paarse en de blauwe Florentijnse [*gaggioli*] zijn.'

Dat was haar manier om te zeggen dat als hij irissen op zijn terras kweekte, die van het wilde soort moesten zijn dat overal in Toscane langs de weg bloeit.

'Helemaal niet, signora,' antwoordde hij. 'Ik kweek heel wat lichtblauwe irissen die ik uit Denemarken heb en die veel lichter van kleur zijn dan uw "Blue Ice", en ik heb ook twee of drie roze en paarse irissen die u helemaal niet hebt.'

De vrouw knipperde met haar ogen. 'Ik kan gewoon niet geloven dat u die op uw terras kunt kweken. Ik heb zoiets nog nooit gehoord.' Haar stem kreeg een ietwat scherpe klank. Ik stapte naar voren.

'Neem me niet kwalijk dat ik u in de rede val,' zei ik, 'maar ik heb het terras van de signore gezien en het is een van de mooiste terrassen van Rome. Hij heeft tientallen irissen en ik herinner me de twee die hij noemde levendig. Als ik het goed heb, heette de ene "Strawberry Shortcake".'

De vrouw keek me bedenkelijk aan, maar de jongeman knipoogde. Toen de rondleiding was afgelopen, liepen we gezamenlijk naar de poort en ik bood mijn nieuwe vriend een lift terug naar Rome aan in mijn Morris.

'Dat lijkt me geweldig,' antwoordde hij, 'maar dan moet u me beloven mijn terras echt te komen bekijken als u me afzet. Dan kunt u daarna die oude haaibaai opbellen om haar te vertellen wat ze mist.'

Zodra we op weg waren, vertelde mijn vriend me dat hij Eugene Walker heette.

'Ik ben iemand die uit Alabama is ontsnapt,' verklaarde hij met een glimlach. 'Ik ben als een verdwaalde meerval door de golf van Mexico gezwommen en bij de Azoren ben ik rechts afgeslagen. In Rome doe ik een beetje van alles. Ik zing, ik speel, ik schrijf, ik dans en ik maak marionetten. Wat voor teken van de dierenriem ben je?'

Ik vertelde hem dat ik Ariës (Ram) was, en hij straalde. 'Dat verklaart veel,' zei hij. 'In Ariës zit altijd veel opstandigs. Bovendien kom je uit Boston, en dat verklaart nog veel meer.'

'Wat dan wel?'

'Waarom we het zo goed met elkaar kunnen vinden. Ik heb moeite met Amerikanen uit het midden; die hebben het altijd over rentepercentages en zo, maar met mensen uit Boston kan ik het prima vinden. Ze lijken veel op zuiderlingen, ze weten wie ze zijn.'

Tegen de tijd dat we zijn palazzo hadden bereikt wist ik veel meer over Eugene. Hij werkte als redacteur voor prinses Marguerite Caetani, een Amerikaanse erfgename en uitgeefster. Ik begreep dat zijn baan verre van eenvoudig was.

'Ik heb er moeite mee de prinses ervan te overtuigen dat ze besluiten moet nemen. Ze propt alle manuscripten die haar niet bevallen tussen haar bed en de muur. Als een manuscript haar wel bevalt, legt ze het op een stapel op haar nachtkastje en doet er een briefje voor de auteur bij met: "Stuur me over een jaar iets anders."'

Eugene woonde in een weelderig gebouw met een balkon op de

Corso del Rinascimento, en hij bracht me in een ouderwetse door-kijklift naar de bovenste verdieping. Daar, hoog op een dak, dicht bij de grijze koepel van de Gesù-kerk, was een bloeiend terras vol kleur. Het eerste dat ik zag was een grote massa schitterende irissen in een regenboog van minstens tien tinten. Eugene wees me de twee die hij aan de signora had beschreven, en ze waren nog mooi-er dan ik had gedacht. De ene leek op fijne Chinese zijde, met spik-keltjes lapis lazuli; de andere leek meer op geborsteld fluweel.

'Maar Eugene,' zei ik, 'je hebt de signora met vlag en wimpel ver-slagen. Haar irissen waren vol ruches en plooien en strepen. Vind je niet dat je ook te ver kunt gaan met het kruisen van irissen?'

'Ja,' zei Eugene. 'De iris is een statige schoonheid, maar ze moe-ten nooit overdreven worden opgesmukt, anders lijken het net oude hoeren die met te veel mascara en rouge klanten proberen te lok-ken.'

Rond de irissen stonden andere voorjaarsbloemen opgesteld. Eugene had blauwe en gele viooltjes, helderblauwe vergeet-mij-nieten en grote pollen eenjarige ridderssporen, die hij beschreef als 'de Italiaanse neef van de heilige *Delphinium*, de vaste ridderspoor, die het in Italië domweg niet wil doen'. Er waren rijen stokrozen, waarvan sommige bijna inktzwart waren. Ernaast stonden dahlia's, die nog niet bloeiden, en twee of drie groenblijvende heesters, *Choisya ternata*, en winterbloeiende toortsen.

'En hier is mijn kruidentuin,' wees hij aan. 'Ik ontvang veel gas-ten, dus probeer ik de belangrijkste kruiden hier te kweken. Ik heb een grote kuip met *basilico*, en ook een grote met peterselie. Als je die hebt, ben je klaar voor de zomer. Je kunt de peterselie met kap-pertjes en ansjovis en een teentje knoflook fijnhakken, en dan heb je salsa verde, die goed bij gekookt rundvlees past. Of je kunt basili-cum en peterselie fijnhakken en er *pignoli* (pijnboompitten), olijf-olie en knoflook bij doen, en dan heb je *pesto* voor de spaghetti.

En hier zijn mijn andere keukenkinderen. Een grote pol dragon – en het moet de Franse dragon zijn, die naar anijs smaakt. Hoed je voor de Russische dragon, die ze je op de markt proberen te verko-pen, want die smaakt naar oude gymschoenen. En hier zijn nog een paar andere: marjolein, salie, tijm, pepermunt. Ik gebruik munt bij het koken van worteltjes en voor mint-juleps. Ik bedenk ineens dat ik op dit moment een paar juleps in mijn koelkast heb staan.

Ik heb daar ook een laurierboompje.' Hij wees naar een piepkleine plant met een stuk of twaalf glanzende groene blaadjes. 'De Engelsen noemen hem de *bay tree*, maar de Romeinen noemden hem *Laurus nobilis*, en ze maakten er kransen van voor de hoofden van Romeinse helden.'

We gingen één verdieping omlaag, naar zijn appartement, en toen hij zijn sleutels uit zijn zak viste, zag ik dat er een klein scherm in de hoek naast de deur stond.

'O, dat is voor juffrouw Calico,' zei hij. 'Daar zal ze haar jongen krijgen.' Ik keek achter het scherm; er stonden twee mandjes die met flanel waren bekleed. 'Ze komt met de lift naar boven,' ging hij verder. 'Ze is een prachtige cyperse kat en ze kan elk moment jongen krijgen. Maar ze is een vreemde en verwaande straatkat, zelfs tegenover mij. Ze vindt het prima als ik haar eten in de gang zet, maar ze wil niet verder binnenkomen, zelfs niet om haar jongen te krijgen. Dus heb ik hier een bed voor haar klaargezet.'

'Je wilt toch niet zeggen dat ze met de lift naar boven komt, naar jou toe?' riep ik uit.

'Jawel,' zei hij, met zijn stralendste Etruskische glimlach. 'Ze kwam vroeger altijd via de trappen omhoog, of zelfs over het dakterras. Maar de lift zat er nog geen vierentwintig uur of ze ging ertoe over die te gebruiken. En ze zal nooit in de lift stappen met iemand die naar een andere verdieping gaat.'

Zijn flat was charmant en excentriek. De muren waren bedekt met een reeks grote bloemenschilderijen, allemaal van vriendinnen van hem. Het eerste bestond uit petunia's die in diverse tinten blauw en violet waren geschilderd. Aan een andere muur had hij een uitstekende studie van zonnebloemen. Alles in de woonkamer had een verhaal. Er stond een grote salontafel die hij had overtrokken met imitatie-slangenleer, en overal waren gouden sterren rond de ramen en trappen geplakt.

'De flat was grauw en vuil toen ik hier kwam, dus heb ik alles gewit en overal sterren geplakt. Er bestaat in Mobile een oud gezegde dat luidt: "Sommige mensen zijn te arm om te schilderen en te trots om te witten." Ik heb het gewoon gewit, en het ziet er prima uit.'

We liepen de keuken in.

'Ik ben geen geweldige kok,' zei hij, 'maar ik experimenteer graag. Ik vind het leuk om verrassingen te bedenken.' Hij noemde een antipasto-gerecht dat bestond uit een Engelse muffin die warm werd gemaakt met mosterd en warme pindakaas en die werd geserveerd met ijskoude brood-en-boterpickles. Op een prikbord aan de muur hingen recepten voor een Amerikaans kookboek dat hij bezig was te schrijven. Eronder had hij een handgeschreven lijst met 'Adviezen voor aankomende zuidelijke koks':

1 Probeer in sauzen gin in plaats van citroensap te gebruiken.
2 Gebruik nooit gezouten boter. Die smaakt ranzig.
3 Gebruik nimmer de droge stof die als gemalen peper wordt verkocht. Vers gemalen peper bezit krachtige oliën, die slechts een uur goed blijven, bevordert de spijsvertering en versterkt de eetlust. Droog stof is droog stof.
4 Vermijd kant-en-klare mengsels. Zet in de winkel uit principe alles terug op de plank wat een ingrediënt bevat met een verbindingsstreepje ertussen.
5 Was de rijst niet. Je gooit belangrijke voedingsstoffen weg. Vis de steentjes en graanklanders eruit.
6 Kook raapjes tot ze net gaar zijn. Serveer met boter, room en een snufje nootmuskaat. Een teken van beschaving.

Een reeks planken aan de muur ertegenover was gevuld met ouderwets keukengerei zoals een au bain marie-stel, houten mengkommen en ijzeren vormen in het model van maïskolven om maïskoek te bakken. Hier en daar stonden vreemd uitziende stukken roze steen.
'Dat is rood porfier. Afkomstig uit de keuken van Cleopatra,' legde hij uit.
'Uit... wat?'
Eugene gaf me een julep die hij uit de koelkast had gehaald. De glazen waren berijpt en ik ving een verrukkelijke geur van gekneusde munt en whisky op.
'Toen ik pas in Rome was,' zei hij, 'had ik geen geld behalve dat van mijn afzwaaien. Ik werkte natuurlijk voor de Principessa, maar zij had het zo druk dat ze vergat me te betalen. Een Venetiaanse

vriend vertelde me toen dat hij een goedkoop onderkomen wist, boven op de Gianicolo. We moesten driehonderdvijfenzestig treden beklimmen om bij dit huisje te komen, en het bevatte niet meer dan een slaapkamer, een eetkamer, een bad en een keuken zonder fornuis.

Voor het huisje was een terras met grind en wijnranken. Maar het keek uit over Trastevere en heel Rome, en het kostte twintig dollar per maand, dus heb ik het genomen. Op de hele helling groeide niets anders dan onkruid, dus heb ik er vijgenbomen geplant, omdat die er in de winter ook aardig uitzien, en langs de trappen heb ik een miljoen iriswortelstokken geplant.

Toen ik de wortelstokken erin zette, vond ik bij het spitten deze prachtige stukken rood porfier. Stel je eens voor! Ik besefte dat mijn beeldhouwende vrienden ter plekke zouden bezwijmen.'

'Maar waar kwamen die stukken vandaan?'

'Nou, ik weet dat die helling het terrein van de keukens van Cleopatra is geweest. Het staat allemaal in de boeken. Ze had drie afzonderlijke keukens en daarin liet ze haar slaven dezelfde maaltijden bereiden. Julius Caesar had het erg druk met zijn werk en ze wist nooit wanneer hij uit de Senaat thuis zou komen om te eten. Dus had Cleopatra één maaltijd voor hem klaar om zes uur, een andere om acht uur, en de volgende om tien uur, zodat hij een warme maaltijd zou krijgen wanneer hij ook thuiskwam. De bofkont. Ik ben ervan overtuigd dat die stukken rood porfier uit die keukens afkomstig zijn. Alsjeblieft, neem dit maar mee. Zei je niet dat je man beeldhouwer is?'

Ik gaf een groot stuk rode steen aan Robert toen hij de volgende dag om acht uur uit zijn atelier thuiskwam. (In tegenstelling tot Julius Caesar kwam Robert altijd stipt op tijd thuis.)

'Waar heb je dit vandaan?' vroeg hij.

'Dat is afkomstig uit de keuken van Cleopatra op de Gianicolo,' zei ik.

'O, ik wist niet dat ze nog kookte.'

'Nou ja, toen ik naar de iristuin op de Appia ging, heb ik daar iemand uit Alabama ontmoet.'

'En wat voor iemand was dat dan wel?'

'Een kruising tussen Winnie de Poeh en Huckleberry Finn, en

hij heeft in een hutje op de Gianicolo gewoond. Nu hij beter bij kas is, heeft hij een schitterend dakterras in de buurt van de Piazza Venezia. Hij schrijft en hij kookt en hij plakt overal gouden sterren in zijn huis.'

'Dat lijkt me een rare snijboon,' zei Robert.

Toen ze elkaar ten slotte ontmoetten, konden Robert en Eugene het uitstekend met elkaar vinden.

11

De late bloei van Ninfa

WANNEER DE GESCHIEDENIS VAN HET ITALIAANSE TUINIEREN wordt geschreven, is het heel goed mogelijk dat de geweldige Caetani-tuin in Ninfa, ten zuiden van Rome, zal worden genoemd als de tuin die het begin van de nieuwe stijl van naturalistisch tuinieren in Italië markeerde.

De Tweede Wereldoorlog heeft een vreselijke klap uitgedeeld aan de traditionele symmetrische tuinen die eeuwenlang hadden gefloreerd. Na de oorlog werden de oude aristocraten opeens geconfronteerd met hoge nieuwe onroerendgoedbelastingen en pijlsnel stijgende kosten van onderhoud, waardoor hun tuinen onverzorgd en slecht onderhouden raakten. Openbare tuinen hadden eveneens te lijden, omdat de plaatselijke middelen werden aangewend voor het herstel van wegen en bruggen, dorpen en steden. Veel oude tuinen werden ten slotte opgegeven of in plaats van belastingen aan de Italiaanse overheid geschonken, en de staat bleek een onverschillige hoeder te zijn. Onder de naoorlogse slachtoffers waren de Boboli-tuinen in Florence, die in dermate slechte staat verkeerden dat ze lange tijd voor het publiek gesloten waren, en de Villa d'Este buiten Rome, waar de bezoekers schrokken van de smerige fonteinen die vies water sproeiden (inmiddels zijn ze schoongemaakt). De prachtige, door Engelsen aangelegde Botanische Tuinen in Ventimiglia, de Villa Hanbury genaamd, waren na de oorlog door de staat verworven en werden toen wijd opengezet voor het publiek, zodat vandalen erin konden om kostbare planten uit te rukken. (Uiteindelijk werden de bomen gered door tussenkomst van verontruste Italiaanse en Engelse tuinliefhebbers.)

De Caetani daarentegen voelden de economische teruggang niet zo sterk als hun volledig Italiaanse neven, omdat de Caetani-prinsen generatieslang buitenlandse erfgenames hadden gehuwd en het familiefortuin grotendeels afhankelijk was van bronnen buiten Italië. Bovendien kon de tuin dankzij de losse, natuurlijke stijl die in Ninfa de overhand had, minder moeizaam overleven dan andere, meer arbeidsintensieve tuinen. Ik had het geluk Ninfa een paar keer te kunnen bezoeken toen de tuin werd aangelegd, en ik heb toen twee vrouwen ontmoet die de stuwende kracht vormden achter de prachtige plek die het nu is. Een van hen was prinses Marguerite Caetani, voor wie Eugene werkte. De andere was haar dochter, die het liefst bekendstond als mevrouw Lelia Caetani Howard.

Hun geliefde tuin op Ninfa, die aan de voet van het Lepanti-gebergte op zo'n tachtig kilometer ten zuiden van Rome ligt, was in het bezit van de familie Caetani sinds 1297, toen een verre voorouder, paus Bonifatius VIII (een Caetani), het landgoed voor 200.000 gouden florijnen kocht. Het moet voor zijn nakomelingen verbazingwekkend zijn geweest dat hij er zoveel voor betaalde, want het middeleeuwse stadje werd later in de steek gelaten met niets dan vervallen kerken, afbrokkelende muren en restjes oude torens, allemaal overdekt door woekerend onkruid. De sfeer was nog naargeestiger doordat het zo dicht bij de moerassen van Pontine lag, die malaria en armoede in dit achtergebleven gebied brachten.

In de eerste zeshonderd jaar lieten de Caetani, die veilig in hun stadspaleizen zaten, zich weinig aan Ninfa gelegen liggen, maar in 1890 besloot het hoofd van de clan, hertog Onorato Caetani, die 'de knapste man van Italië' heette te zijn, een deel van het familiebezit te ontwikkelen. Hij wilde een zomerhuis in de buurt van Foligno bouwen, omdat de omgeving van Ninfa te ongezond zou zijn. Maar zijn Engelse vrouw, hertogin Caetani, die dol was op allerlei buitenactiviteiten, van jagen tot bergbeklimmen en tochtjes in heteluchtballonnen, was het niet eens met de keus van haar man. Ze was verrukt over de melancholieke sfeer van Ninfa, zoals dat te midden van ruïnes lag te sluimeren. Dus trok ze zich niets aan van alle doktersadviezen en ging met haar vijf kinderen (met flinke doses kinine) gezellig tussen de brokstukken zitten picknicken.

De hertogin was slechts één van een rij Engelse en Amerikaanse vrouwen die in de familie Caetani trouwden, en deze dames, met hun herinneringen aan mooie bloementuinen in Engeland en Amerika, hebben er waarschijnlijk voor gezorgd dat Ninfa zich zo prachtig ontwikkelde. De hertogin gaf haar liefde voor tuinen door aan haar zoon, prins Gelasio. In de jaren twintig liet Gelasio de beruchte moerassen van Pontine droogleggen en terwijl hij dat deed, vond hij de tijd om even in Ninfa aan te wippen om toezicht te houden op de restauratie van het tot ruïne vervallen Palazzo Communale, dat hij tot een zomervilla voor zijn gezin liet verbouwen. Hij kapte ook de woekerende klimop en doornstruiken uit de tuin, bemestte de rozen die zijn moeder had geplant, en begon er bomen in te planten, zoals steeneik, zwarte walnoot, en de Amerikaanse groenblijvende magnolia, en de schitterende rij Italiaanse cipressen die langs de hoofdstraat van het verlaten stadje staat en die de tuin zoals we die nu kennen een hoge groene ruggengraat geeft.

Toen Gelasio in 1934 stierf, werd het huis het zomerverblijf van zijn broer, prins Roffredo Caetani en zijn vrouw Marguerite, en zij pakten de beplanting grondig aan. Ze verlegden en splitsten de Ninfa-rivier, die uit het Lepanti-gebergte omlaagdendert, zodanig dat deze in beekjes door de tuin stroomt, waardoor Ninfa per dag meer water krijgt dan veel Italiaanse tuinen in een heel jaar. Wanneer je deze enorme watertoevoer combineert met de mediterrane zon en de achtergrond van een verlaten middeleeuws dorp, heb je een decor dat een opera waardig is.

Eugene wist dat ik dol was op moderne Italiaanse tuinen en toen hij dat aan zijn werkgeefster, de prinses, vertelde, stelde ze voor dat ik een keer naar een van haar zondagse lunches zou komen. Dat was in mei 1961. De prinses leidde haar gasten voor de lunch altijd in de tuin rond, dus had ik een kans die te zien in de tijd dat hij werd aangelegd. Het was allemaal heel eenvoudig. In plaats van met symmetrische perken en zorgvuldige borders was Ninfa aangelegd langs ongedwongen wandelpaden door de natuur. Bijna alle planten, van de rozen tot de notenbomen, waren van Engelse oorsprong, en de prinses legde met haar duidelijke Boston-accent uit dat ze zich ervoor had gehoed exotische planten als palmen, aloës en boomvarens, die veel Italiaanse tuinen een zwaar Noord-Afrikaans accent geven, aan te planten.

Haar rondleiding voerde ons langs de rivier naar een bosje met gemengde magnolia's en een onderbeplanting van voorjaarsbollen, en aan één kant konden we enkele Chinese *Paulownia's* in de wind zien wiegen, overdekt met duizenden lavendelkleurige bloemen die op vingerhoedskruid leken. Het pad liep daarna door een laan met cipressen, waar witte kruipende planten doorheen waren geleid.

De hertogin had overal rozen geplant. Ze hingen over de muren, slingerden zich langs bruggetjes en vielen in het stromende water. Er waren oude variëteiten als 'Maréchal Niel' en 'Alister Stella Gray', en geweldige struiken Chinese 'Mutabilis'-rozen, overdekt met roze en gele bloemen.

De prinses leidde ons rond met gezwinde pas. Ze kende iedere plant in de tuin en ze bleef af en toe staan om een dode tak af te breken of een opmerking te maken tegen een tuinman die in de buurt bleef, klaar om opdrachten in ontvangst te nemen. Ze deed me denken aan tuindames die ik in Boston had gekend, die hun tuinen openstelden voor liefdadige doelen. Net als zij was ze koel, gereserveerd en had ze de touwtjes goed in handen. Omdat ikzelf uit Boston kwam, kende ik dit soort ontzagwekkende oudere dames dat de New England-society regeerde. Ze hadden een zelfverzekerde manier van spreken, waardoor ze de indruk wekten zojuist van een betere, rijkere planeet te zijn gekomen. Eugene, die uit Alabama kwam, was ook geïmponeerd door haar accent.

Toen we terugkwamen van onze wandeling, waren er verscheidene tafels op de gazons bij de rivier neergezet, en Eugene en ik waren geplaatst aan de tafel met als gastvrouw Lelia, de dochter van de prinses, en haar man Hubert. Tot mijn opluchting was geen van beiden zo'n ontzagwekkende persoonlijkheid als haar moeder. Ze waren beiden heel open en direct, zonder pretenties, en je had nooit kunnen vermoeden dat Lelia afstamde van tien generaties trotse Italiaanse prinsen, of dat Hubert Howard de zoon van de hertog van Norfolk was. Ik begreep al snel dat man en vrouw ervaren plantenmensen waren en ik hoorde dat er nog veel in de Ninfa-tuin moest gebeuren.

'Tot nu toe,' vertelde Hubert me, 'is de tuin gewoon een verzameling bomen en planten geweest. Het is een encyclopedie van planten, voornamelijk Engelse. Maar er is nooit een organisch geheel van gemaakt.'

Het tweetal was doorkneed in de Engelse traditie; ze voelden zich aangetrokken tot delicate, gedempte kleuren die patronen in de tuinen vormden, en ze probeerden sterke contrasten tussen het ene gedeelte en het andere te vermijden. Ze kenden hun beplanting door en door en Lelia wilde geen boom of heester onnodig snoeien, omdat ze het liefst de contouren van iedere plant wilde behouden. Zo was er een keer een magnolia die een obstakel vormde op een pad, maar in plaats van haar geliefde magnolia te snoeien, gaf ze de tuinlieden opdracht het pad te verplaatsen om ruimte te maken voor de boom.

Toen prinses Marguerite twee jaar later stierf, in 1963, gingen Lelia en Hubert, die geen kinderen hadden, steeds meer tijd aan de tuinen op Ninfa besteden, en de stille Lelia, die altijd in de schaduw van haar moeder had geleefd, werd de ware architect van de tuin. Ze deed dit door haar tuin eerst op doek te schilderen en daarna, als ze tevreden was over haar ontwerp, ging ze de bloemen planten die ze had geschilderd.

Lelia's grootste hartstocht op Ninfa was een rotstuin, die was aangelegd in een hoek dicht bij een landelijk kapelletje, dat ze schilderde alsof het een tapisseriewandkleed was, met iedere bloem zorgvuldig afgebeeld. Zoals haar vrienden zeiden: 'Lelia weet precies hoeveel ruimte iedere bloem nodig heeft en welke kleur hij moet hebben. Eigenlijk beplantte ze haar tuinen niet, ze borduurde ze.'

Wanneer toekomstige historici vragen wat het grootste is geweest wat de familie Caetani in Italië tot stand heeft gebracht, zou het antwoord wel eens hun tuin van Ninfa kunnen zijn. Jaarlijks komen er duizenden bewonderaars van over de hele wereld. De Caetani-mannen hebben de grote lijnen van deze natuurlijke tuin aangebracht, maar het waren hun vrouwen, en vooral de laatste en rustigste van hen allen, Lelia Caetani, die van deze prachtige schepping een geheel hebben gevormd. Lelia maakte er iets heel persoonlijks van; ze gaf de tuin een ziel.

12

Ongewone tuinvrouwen

DE TREND NAAR EEN MEER PERSOONLIJKE, MINDER STIJVE STIJL van tuinieren begon in Italië met Ninfa, maar is sindsdien bijna algemeen geworden. Toen ik lid was van de tuinclub van Rome, ontmoette ik een hele reeks individualistische vrouwelijke tuiniers die hun huishoudelijke beslommeringen opzijzetten en naar hun terras gingen om hun energie op het kweken van bloemen te richten. De Italiaanse tuiniersters waren, constateerde ik, meer onderzoekend en minder conventioneel in hun stijl en sneller bereid iets te proberen. De heren daarentegen leken traditioneler en voorzichtiger te zijn.

Eén lid van de tuinclub vertelde me vol trots dat ze alleen planten kweekte die tot de salvia-familie behoorden. Een ander lid verklaarde dat zij zich in hydrangea's specialiseerde. Weer een ander legde een schitterende, volledig groene tuin achter haar huis aan. En er is één tuinierster, een echt excentrieke dame, die iedere dag vele uren staat te spitten in haar tuin boven op de oude Muur van Aurelianus (gebouwd in de derde eeuw n.Chr.), pal naast het station van Rome.

Een tuinvrouw die van het begin af aan veel indruk op me maakte was Gabriella Pucci, voorzitter van de Legambiente (Verbond voor het Milieu) in Palermo, Sicilië. Gabriella kwam uit Palermo naar Rome om voor ons een lezing te houden over de milieurampen die Sicilië in de eerste naoorlogse decennia ten deel zijn gevallen. Ze was een kleine vrouw van misschien tweeënveertig jaar, met een glimlach van een renaissancemadonna, en ze kwam naar onze bijeenkomst in een spijkerbroek met een jack en op sportschoenen. We begrepen onmiddellijk dat Gabriella zich niet druk maakte over *bella figura* (het maken van een goede indruk); haar hartstocht gold *bella Italia* en ze besteedde haar dagen aan de strijd tegen project-ontwikkelaars en maffiabonzen, die al veel hadden gesloopt van wat ooit mooi was in Palermo en veel prachtige tuinen met beton hadden afgedekt.

Ze begon met ons dia's te vertonen van de rampen die haar stad hadden getroffen en ze eindigde met opnamen van haar eigen ecologische tuin. 'We moeten de natuur respecteren, waar we die ook aantreffen,' zei ze. 'Een goede plek om te beginnen is onze eigen tuin. Mijn regels zijn heel eenvoudig: geen chemicaliën, veel composteren en een tolerante houding tegenover mooie onkruiden en grassen en kleine beestjes die onze tuinen bevolken. We moeten de natuur aanmoedigen, niet onderdrukken.'

Uiteraard wekte haar verhaal veel belangstelling, en binnen een maand vloog een groepje van tweeëntwintig dames van de tuinclub van Rome naar Palermo om alles eens van dichtbij te bekijken. Toen we boven het vliegveld cirkelden, keken we neer op de opvallende contouren van de oude stad. Die lag op een reusachtig podium ingeklemd tussen het water van de zuidelijke Middellandse Zee en de met olijven begroeide heuvels van het achterland. Ertussen lag een diep dal gevuld met het felle groen van sinaasappel- en citroenbomen. Toen we dichterbij kwamen, vingen we glimpen op van vervallen roze villa's en schitterende Afrikaanse palmen die in de sirocco stonden te zwiepen.

Gabriella wachtte ons op het vliegveld op om ons een snelle rondrit door Palermo te laten maken. Ze zat op de voorste bank van de bus en ze verdeed geen tijd met overbodige inleidingen.

'Wat jullie om je heen zien is een stad die is verwoest door de maffia en door projectontwikkelaars. De meeste piazza's en de openbare gebouwen zijn geplunderd in de "verkrachting van Palermo". Op deze hoek stond een beeldschoon palazzo van driehonderd jaar oud. De ene avond stond het er nog, en de volgende ochtend was het verdwenen. Op de plaats waar het had gestaan verrezen lelijke appartementengebouwen. Ze bulldozerden alles plat en de mensen durfden er niets van te zeggen.'

Nu zijn de mooiste gebouwen van de stad gelukkig weer op verstandige wijze gerestaureerd.

Gabriella's tuin had deel uitgemaakt van een oude mandarijnenboomgaard van zo'n duizend vierkante meter die zich uitstrekte van de terrassen van de oude Pucci-villa naar het semi-wilde land eromheen. Gabriella had er zo'n overdaad aan groeiende dingen in gepoot dat het een hoek van een tropische jungle leek.

Er waren geen open groene ruimten, geen gemengde borders, geen keurig afgebakende paden. Een bezoeker liep er niet rond met het hoofd omlaag, de blik op de bloemperken gericht. De bloemen die die jungle bevolkten, hingen meestal op ooghoogte. Overal waren rozen, er slingerden zich grote massa's *Rosa banksia* (klimmende botanische rozen) over hekwerken en de bakstenen muren waren vaak overwoekerd door klimmende Oost-Indische kers. Er groeiden wolken van de prachtige roze trompetbloem naast plukken lichtblauwe plumbago, en een andere favoriete klimmer, de *Solanum jasminoïdes* en de *Solanum aviculare*, met paarse bloemen en heldergeel hart.

Aan het eind van de tuin, dicht bij een struik uitbloeiende *Pyracanthus*, had Gabriella haar composthoop ingericht, en daarnaast had ze een mooie kleine *orto* met sla, kool en keukenkruiden. Er vlakbij bevond zich een keurige kippenren met veelkleurige kippen die het gezin voorzien van scharreleieren.

'Deze kippen leiden een lang en gelukkig leven,' zei ze. 'Ze sterven van ouderdom. In huize Pucci gaan ze nooit in de pan.'

Een van de laatste triomfen in de Pucci-tuin was het met de hand uitgegraven moeras. 'Ik bedacht dat ik een moeras wilde om kikkers aan te trekken,' vertelde Gabriella. 'We hebben dit met onze eigen handen gegraven. We kweken waterlelies en lissen, en we hebben nu allerlei soorten dieren: libellen, krekels, vlinders, kikkers, hagedissen, konijnen en slangen.'

'Ik vind die slangen echt geweldig,' zei signora Pucci. 'Ze klimmen in mijn rozenstruiken om daar in de zon te liggen. Ik kan wel een halfuur lang naar ze blijven staan kijken.'

Een andere tuinvrouw, Anna Maria Tosini, had een tuin op een helling met uitzicht over de zee in Casteldaccia, een paar kilometer van het huis van de familie Pucci. Signora Tosini's tuin was haar persoonlijke theater en bezoekers werden van tevoren gewaarschuwd in ganzenpas naar binnen te gaan en in stilte te wachten tot de voorstelling zou beginnen.

Wanneer je de tuin binnenging was het alsof je een plantenkas betrad, want dit kleine stukje land, dat in een komvormige holte gericht naar de warme zee was gebouwd, was zo volmaakt tegen koude winden beschermd dat subtropische planten er zonder gevaar konden groeien. Een bezoeker kon bij de ingang met grote ogen naar deze overdaad aan vegetatie staan kijken, want deze tuin was uitvoerig *gemeubileerd*. Aan de bomen hingen olieverfschilderijen van fruit en bloemen. Een portret van een dame met een vuurrode toque keek glimlachend omlaag vanaf een rozenpergola, en naast haar was een geopende roze parasol. Vlakbij hing een ketting van grote glazen bollen die onverwachte kleur toevoegde. Er waren rozenstruiken die in wolken witte tule waren gehuld.

En toen riep de stem van een vrouw, eerst zacht maar toen met meer volume, vanuit een bosje naast het tuinhuisje: 'Deze tuin is opgedragen aan mijn vader, die is begonnen met het verzamelen van stenen. Sommige stenen waren lavastenen, donker en zwavelkleurig, en andere kwamen van het strand en waren zo glad als gepolijst marmer.'

De stem vertelde vervolgens over de nacht in de tuin met hongerige dieren die buiten brulden, en het beuken van de golven op het strand, en toen verscheen er een gestalte die als Pan was verkleed van boven in de tuin en hij kwam spelend op een fluit de trap af, gevolgd door een meisje met bloemen in het haar.

Op dit punt kwam Maria Tosini in hoogsteigen persoon uit het struikgewas tevoorschijn om de gasten te begroeten – een knappe vrouw, gehuld in een kostuum van lichtgroen fluweel. Terwijl ze omlaagstapte, begonnen de fonteinen in de vijver achter het prieel opeens te spuiten en de gasten, van wie sommigen het grappig en anderen het prachtig vonden, kwamen naar voren om haar te begroeten.

'Ik vind het geweldig,' zei een vrouw uit Rome. 'Ze doet *A Midsummer Night's Dream* op haar eigen manier.'

'Het stuk is hier niet echt van belang,' zei een andere gast. 'Het gaat om de tuin, en die spreekt voor zichzelf.'

Anderen waren het erover eens dat de tuin, die door Maria's botanisch onderlegde zoon was ontworpen, een wonder van bloei was. Er was op die kleine zonnige helling geen plek die niet explodeerde van kleur. De datura's waren beladen met honderden trompetvormige bloemen, er kronkelden lange slierten roze rozen in en uit de struiken, en de ranken van de trompetbloem waren verstrengeld met de knalroze orchidee-achtige bloemen van de *Bauhinia*, een boom die in het Engels ook wel *Hong Kong orchid* wordt genoemd. En zelfs als er geen grond over was wisten de Tosini's te improviseren. Boven op de muren en langs de trappen stonden potten met bloeiende amaryllis en roze geraniums, en in oude tuinmanden bloeiden massa's vuurrode hibiscus. Er stonden wiebelige potten met donkerrode petunia's op randjes bij de ramen, en ook manden met 'Martha Graham'-geraniums van meer dan een meter hoog.

Een van de kleine wonderen van de tuin was een steegje ter breedte van een kinderfietsje dat neerkeek op een ruimte waar de buren hun rommel hadden neergegooid. Om alle brandnetels en roestige blikjes te camoufleren hadden de Tosini's pakjes zaad van de klimmende Oost-Indische kers uitgestrooid, en de Oost-Indische kers had gehoorzaam alles overwoekerd, zodat het rommelplekje vol onkruid in een plas feloranje was veranderd. Op het stukje muur langs het steegje had een vindingrijke Tosini pollen bloeiende paarse heliotroop geplant die zo waren geleid en in vorm geknipt dat ze een lavendelkleurig tapijt tegen het huis vormden. En zo was een naargeestig steegje veranderd in een verrukkelijk balkon.

Als slechts een aantal inwoners van de stad ook maar enigszins hun voorbeeld zouden volgen, zou Palermo er misschien van kunnen dromen weer een stad van tuinen te worden. In Rome bestaat er in elk geval een steeds groeiende tendens van tuinvrouwen om hun horizon te verbreden, soms op verrassende wijze.

Tot voor kort leken bijna alle rozentuinen op elkaar, maar nu zijn er vrouwen die rozen op nieuwe, verrassende manieren kweken.

'Een roos is een roos is een roos,' zei Gertrude Stein, en ze zou waarschijnlijk beamen dat 'een rozentuin een rozentuin is', want de meeste beroemde rozentuinen die ik in Amerika en Europa heb gezien zijn nogal saai. De verdiepte rozentuin van de botanische tuin in Brooklyn toont kilometers rozen in grote hoeveelheden; Queen Mary's rozentuin in Regent's Park in Londen is misschien groter en meer uitgespreid, maar ziet er net zo uit. Martha Stewart heeft een rozentuin op Long Island… Als je er één hebt gezien, heb je ze allemaal gezien. Ze zijn aangelegd met in gedachten de theorie dat rozen delicate bloemen zijn die veel van beestjes en bacteriën te lijden hebben, zodat ze in voortdurende quarantaine moeten worden geplaatst, afgesneden van alle andere bloemen, in afzonderlijke perken.

Een lid van de tuinclub van Rome dat rozen anders plant is Maresa del Bufalo. Ze heeft het boek met regels weggegooid en een tuin geschapen die rozen als vrienden en als familie beschouwt. De rozentuin van de familie Del Bufalo ligt in een zonnig weidegebied in de buurt van het vliegveld Ciampino, waar de Romeinse aquaducten in een brokkelige lijn naar de Albani-heuvels lopen.

Het bordje boven de met rozen overwoekerde ingang vertelt je dat dit *Valleranello* is, en zodra Maresa opendoet, besef je dat het gezellig gaat worden. Ze is een levendige blondine en loopt meestal rond in een Indiase koerta of in een visserskiel met een heleboel zakken. Ze heeft altijd een snoeischaar in de hand en een brede glimlach op haar gezicht. Voor ze haar rozen laat zien, vraagt ze je meestal binnen voor de thee, en je wordt getroffen door de gezellige informaliteit van het interieur en door de foto's van haar man en drie knappe zonen op de piano, naast grote portretten van een Indiase goeroe die ze in zijn ashram in het zuiden van India bezoekt.

Bezoekers stoten elkaar wel eens aan wanneer ze het portret van de goeroe zien.

'Ja, dat is mijn goeroe,' zegt ze dan nuchter. 'Ik neem rozen voor hem mee als ik elk jaar met Kerstmis naar hem toe ga.'

Maresa heeft weinig tijd voor loos gekwebbel. Ze popelt om met je de tuin in te lopen om haar mooiste rozen te laten zien terwijl de zon er nog op schijnt. De rozen beginnen pal bij haar voordeur en de eerste impressie is er een van schitterende chaos. Er zijn geen hekken of borders. Haar bloemen groeien gewoon in willekeurige banen die zich door een weiland slingeren, en overal waar je kijkt zie je een andere kleur, ruik je een overweldigende geur die maakt dat je aan thee of kruiden of aan een parfumfabriek moet denken.

Het is alsof Maresa in een vrolijke bui door haar weiland heeft gedanst met een mandvol goed doorwortelde rozen. Ze heeft ramblers die langs de stammen van olijfbomen omhoogklimmen, noisette-rozen die over pergola's hangen en Chinese rozen die als uitbarstende vulkanen omhoogschieten. Er is hier een nieuwe dimensie; de tuin is niet horizontaal maar sterk verticaal, als een wandkleed uit Rajasthan. Het gras en de loofbomen zorgen voor de achtergrond terwijl de voorgrond fonkelt met de spiegelachtige schittering van bloemen.

Zoals een ervaren tuinfotograaf opmerkte toen hij voor het eerst Maresa's inspanningen zag: 'Ik heb rozentuinen altijd dodelijk vervelend gevonden. Ze zijn tuttig en veel te braaf gesnoeid. Maar nu ben ik van gedachten veranderd. Dit is waar het in rozentuinen om moet gaan.' Peter Beales, misschien wel de bekendste rozenkweker van Engeland, was zo onder de indruk van Maresa's tuin met de vele niveaus, dat hij hem rangschikte onder de drieëndertig mooiste rozentuinen van Europa en Amerika.

Net als zoveel nieuwe tuiniers werd Maresa bij toeval enthousiast over rozen. Toen ze in de jaren zestig landschapsarchitectuur aan de Universiteit van Rome studeerde, trouwde ze met de architect en aannemer Luciano del Bufalo, die een huis op een stuk grond van bijna een hectare aan de weg naar Ciampino had. Het terrein, zonder gras of bloemen, met alleen maar wat pijnbomen die vlak naast een bescheiden natuurstenen huis groeiden, was in het geheel niet inspirerend.

'Ik was van één ding zeker,' zegt Maresa. 'Ik wilde niet nóg meer coniferen. Die zijn zwaar en donker, en ik wilde een tuin met een overdaad aan zon en kleur. Dus kocht ik wat lichtere bladverliezende bomen – winterbloeiende magnolia's (*Magnolia stellata*) en bloeiende fruitbomen en heesters als *Cistus* en *Escallonia*.

Ik besloot er ook een paar rozen in te zetten, maar omdat ik geen namen wist, vroeg ik de kwekerij een lijst voor me op te stellen.' Ze glimlacht als ze dit zegt, omdat er tegenwoordig nauwelijks een roos bestaat waarvan ze de naam niet kent. Pas later, in de jaren zeventig, kreeg ze meer belangstelling voor rozen en in de volgende twee decennia nam haar verzameling toe, tot deze nu, na de millenniumwisseling, meer dan duizend variëteiten telt.

Maresa heeft een band met iedere roos. Ze weet nog steeds waar ze elke plant vandaan heeft, of het een stekje of een doorwortelde struik was, en hoe hij precies ruikt. Ze kent ook de familiegeschiedenis van veel rozen.

Ik kijk toe terwijl ze een dikke stengel van haar doorbloeiende Frensham-rozen knipt en ze merkt op dat dit een van de weinige rode rozen is die ze wel in haar tuin wil hebben, omdat hij een kleur rood heeft die goed combineert met haar geliefde roze en gele tinten.

'Dit is een van de snelst groeiende struiken,' zegt ze, terwijl ze een tak ter dikte van een wandelstok afhakt. 'Als ik hem niet terugsnoei, overwoekert hij straks dit deel van de tuin.' Er bijten grote stronken Frensham in het stof, maar een kleinere struik van dezelfde roos wordt met meer zorg gesnoeid.

'Dit is een oude dame van bijna dertig,' zegt ze. 'Ze is de moeder van de grote jongen die ik zojuist heb gesnoeid. Dus ook al begint ze een beetje uitgeput te raken, toch probeer ik haar met veel respect aan te moedigen.' Een andere favoriet is een muskusroos, 'Robin Hood', die enigszins boers is en bijna altijd bloeit. 'De beste dekhengst in de hele tuin.' Ze verklaart dat ze er door 'Robin Hood' naast een paar timide eenmalige bloeiers te planten in geslaagd is een hele groep nieuwe klimrozen te kruisen die herhaalde malen bloeien. Een van haar succesvolste hybriden is een tweekleurige roze-met-witte rambler die ze naar haar man, Luciano, heeft genoemd.

Maresa denkt dat haar rozen zo goed groeien omdat de grond er heel geschikt voor is en omdat ze lastige theehybriden, die extra aandacht behoeven, mijdt. 'Ik heb echt geen behoefte aan rozen zo groot als artisjokken,' zegt ze.

Haar behandeling tegen ziekten en plagen is eenvoudig: een flinke dosis Bordeauxse pap aan het eind van de winter en een gecombineerd fungicide in april en nog eens in juli. Haar gezonde rozen hebben weinig last van insecten, maar in maart spuit ze een keer met pyrethrum tegen witte vlieg.

Snoeien staat heel hoog op haar lijst van klussen. In de tijd dat de rozen moeten worden gesnoeid komt ze haar tuin niet uit, en als ze op reis gaat, neemt ze plastic zakken met rozenplanten en stekken mee. 'Ik ga vaak naar Venetië,' zegt ze, 'maar er zijn geen goede rozenkwekerijen in Venetië, dus probeer ik dat te compenseren door zelf rozen uit Rome mee te brengen.'

Ze neemt ook altijd rozenstekken mee als ze naar India gaat, naar haar goeroe in Bangalore. De Indiase douanebeambten kijken altijd een beetje achterdochtig wanneer er een vrolijke Italiaanse blondine verschijnt met in haar bagage een aantal rozenstruiken. 'Ik zeg tegen hen dat deze bloemen niet echt zijn,' zegt ze, 'dus laten ze me gewoon door.' Als gevolg hiervan begint haar goeroe faam te krijgen als een van de beste rozenkwekers in het zuiden van India.

Terwijl de rozen van Maresa heel hoog worden, probeert een ander lid van de tuinclub haar rozenstruiken zo laag mogelijk te houden. Deze vrouw is Flavia della Gherardesca. Ze wordt aan vreemden voorgesteld als 'La Contessa della Gherardesca', maar ze staat bij de meeste clubleden bekend als 'Flavia'.

Flavia is heel jong weduwe geworden en is nooit hertrouwd, maar ze besteedt veel tijd aan liefdadigheids- en onderwijsprojecten. Ze is jarenlang voorzitter geweest van het Italiaanse Verbond voor Vrouwelijke Stemgerechtigden en ze trok door het land om vrouwen aan te moedigen meer belangstelling voor politiek te tonen. Ze is ook heel actief in de tuinclub. Flavia is opvallend knap om te zien, met een gave huid en prachtig wit haar, en ze was een enthousiast bergbeklimster en zwemster, en zelfs toen ze al in de tachtig was ging ze er regelmatig met een groep vriendinnen op uit om wandeltochten in de heuvels rond Rome te maken.

Ik ontmoette Flavia tijdens de reis van de tuinclub naar Sicilië; we zaten vaak naast elkaar in de bus als we van de ene schitterende villa naar de andere reden. Ik was diep onder de indruk van haar grondige kennis van mediterrane bomen en bloemen. Op de laatste dag van de reis naar Sicilië ontdekten we dat we buren waren in Rome: ik woonde op de Piazza Borghese en Flavia vertelde dat ze een flat had vlak bij de Piazza di Spagna, met een mooi uitzicht.

Een week later nodigde ze ons uit voor de lunch, en Robert en ik liepen de Spaanse Trappen op, waarna we tot de ontdekking kwamen dat mijn nieuwe vriendin op de bovenste verdieping woonde van een gebouw waar de modeontwerper Valentino enkele verdiepingen met showrooms en kantoren had. We gingen met de lift naar Flavia's verdieping en er werd opengedaan door een Indiase butler die ons door een lichte *salotto* (woonkamer) naar het terras bracht.

Het terras van Flavia verdiende vijf sterren in iedere Michelingids. Het was iets groter dan een tennisbaan en het keek uit op het beeld van de Madonna, op haar hoge zuil pal voor het gebouw van American Express. Achter de Heilige Maagd had je een weids uitzicht over de stad, alsof het een geschilderde achtergrond was. De heuvels van Rome lagen aan de horizon, met de okerkleurige muren van het Palazzo del Quirinale links en de schitterende koepel van de Sint-Pieter rechts.

Flavia kwam naar buiten om ons te begroeten. Ze zag er heel charmant uit in een katoenen jurk. 'Welkom op mijn terras,' zei ze met een glimlach. 'Ik wilde het je nu laten zien, omdat dit het beste seizoen is, en ik probeer wat nieuwe planten te bedenken om hier te kweken, zolang ze maar laag en vol zijn. Ik wil geen hoge planten, omdat die het uitzicht kunnen belemmeren; daarom heb ik me op struikrozen geconcentreerd.'

Haar rozen waren geplant in zestig grote potten, die ze in evenwichtige groepen op het terras had geplaatst. Eén zo'n groep bevatte een verzameling weelderige Meilland-rozen die samen rond een grote thuja en een fraaie citroenboom waren opgesteld. Een andere groep bevatte variëteiten van Chinese rozen, die begonnen met het knalgeel en roze van *R. chinensis* 'Mutabilis' en vergingen met 'Cécile Brünner' en 'Old Blush'. Een andere groep omvatte een aantal fellere theerozen, inclusief het vuurrood van 'Lilli Marlene' en het oranje van 'General Schablikine'. Alle rozen stonden er blakend gezond bij. Flavia vertelde dat ze zoveel bloeiende rozen had dat ze om de paar dagen een boeket voor de eetkamer afknipte.

'De enige andere plant die ik mezelf heb toegestaan is lavendel. Ik ben dol op de geur,' ging ze verder, 'en ik had het geluk een lavendel te vinden, *Lavandula dentata*, die heel laag blijft en bijna het hele jaar bloeit, zelfs in de winter.'

We kwamen dichterbij om de lavendel te bekijken, die in lage bakken op de muur rond het terras stond. Het oorspronkelijke stekje was tientallen malen gescheurd en herplant en vulde nu zo'n dertig potten, en bood aldus een mooie blauwe omlijsting van het uitzicht over Rome.

'Het enige wat ik doe om de lavendel in model te houden is alle binnenste takken en twijgjes wegknippen wanneer die dor worden, zodat er alleen nieuwe groene uitlopers, die hierna bloeien, overblijven. Op die manier houden we de lavendel laag en houdt deze nooit op met bloeien.'

Ik noemde wat andere lavendelvariëteiten die misschien binnen haar beplantingsschema zouden passen en ik bood haar wat stekjes aan van onder andere *Lavandula stoechas*, een Spaanse lavendel met grote bloeiende schijnaren. Toen we weer naar binnen liepen, vroeg ik haar hoe ze al die potten dagelijks water gaf. Flavia vertelde dat ze nooit de moeite had genomen een bevloeiingsinstallatie aan te leggen.

'De *portiere* geeft ze water als ik niet thuis ben,' zei ze, 'en als ik hier ben, is het heel ontspannend om ze een beetje water te geven en van het leven op de daken van het oude Rome te genieten. Ik sta vaak kort na zonsopgang op, zodat ik water kan geven als het nog koel is, en ik kijk graag naar de vluchten ganzen die rond die tijd overkomen. Ik heb me laten vertellen dat ze 's nachts onder de bruggen over de Tiber zitten en vroeg in de morgen wegvliegen om aan zee, bij Ostia, voedsel te zoeken.'

We kregen aan de lunch gezelschap van haar nichtje Martina, eveneens lid van de tuinclub. Martina begroette ons hartelijk en gaf haar tante een krantenknipsel.

'Alsjeblieft, Zia [tante],' zei ze. 'Na al die jaren hebben we hier het bewijs dat de Della Gherardesca's toch geen kannibalen zijn.'

Ze zag dat wij verbijsterd opkeken. 'Honderden jaren lang,' legde ze uit, 'hebben de Italianen geloofd dat een van de eerste Della Gherardesca's een kannibaal was. Het schijnt dat Dante in zijn *Inferno* heeft geschreven dat in de dertiende eeuw een zekere graaf Ugolino della Gherardesca in de klokkentoren van Pisa gevangen was gezet, samen met zijn twee zonen, en dat hij om niet van honger om te komen zijn eigen kinderen had opgegeten. Een vreselijk verhaal! Maar misschien is het toch niet waar.'

Ze las het krantenknipsel voor: '"Een Italiaanse archeoloog, Francesco Mallegni van de Universiteit van Pisa, heeft vijf geraamten gevonden die in een crypte onder een kerk in Pisa waren begraven, samen met een geschrift dat meldde dat dit de beenderen van het geslacht Ugolino zijn.

Onderzoek heeft aangetoond dat alle vijf de mannen in de laatste drie maanden van hun leven aan ondervoeding hebben geleden, wat erop wijst dat ze in de gevangenis slecht te eten hebben gehad, maar ze zijn gedood voor ze van honger zouden omkomen. De graaf kon zijn eigen zonen niet hebben opgegeten, verklaarde Mallegni, omdat hij geen tanden en kiezen meer had.'"

'Nu we dat hebben vastgesteld,' verklaarde Flavia met een glimlach, 'kunnen we aan tafel gaan.'

13

Sandra, de beeldschone kattenvangster

ROME IS GEEN STAD MET EEN OVERMAAT AAN BARMHARTIGE SAMA-
ritanen, en toch bestaat er een aanzienlijke groep katminnende burgers, aangeduid als *gattari* (kattenhelpers), die in veel parken en
piazza's van de oude stad te zien zijn wanneer ze plastic bakjes met
eten en water voor de zwerfkatten neerzetten. Deskundigen schatten dat er zo'n 150.000 *gatti randagi* (verwilderde katten) in Rome
zijn, waarvan er veel op grote open ruimten, zoals het Forum en de
grote parken en begraafplaatsen samenscholen.

De gattari zijn niet georganiseerd als groep; ze vormen een wille-
keurig geheel van mensen die katten voeren – zo'n negenduizend
vrouwen en duizend mannen. Wanneer ze er iedere dag op hun
ronden op uitgaan, hebben ze een speciaal document van de carabinieri bij zich als bewijs van het feit dat ze officiële hulpverleners zijn
en niet kunnen worden gearresteerd of weggestuurd. Aangezien het
een van hun taken is ervoor te zorgen dat alle zwerfkatten worden
gesteriliseerd, mogen de gattari niet-gesteriliseerde katten vangen,
ze naar de dierenarts brengen en ze na afloop weer naar hun piazza's brengen. Het officiële document, dat door het Ufficio dei Di-
ritti Animali (Bureau voor Dierenrechten) van de stad Rome wordt
verstrekt, verklaart: 'Het werk van deze vrijwilligers is van groot belang, omdat het ons in staat stelt de hygiënische en demografische
omstandigheden van deze dieren onder controle te houden. De ste-
rilisatie van deze dieren is verplicht. Als de kattenbeschermers
moeite hebben de katten die gesteriliseerd moeten worden te vangen, kunnen ze de politie om hulp vragen. Houd in gedachten [al-

dus het document] dat deze katten worden beschouwd als een *bene indisponibile dello stato* [een onvervangbaar erfgoed van de staat] en dat ze niet van hun piazza kunnen worden verwijderd of op enige wijze kunnen worden verjaagd.' In werkelijkheid zijn deze woorden uitermate onoprecht – ze zijn het stadsbestuur ongetwijfeld opgedrongen door de een of andere vooraanstaande dierenactivist – want in wezen is de gemeente Rome helemaal niet dol op katten en bezit men bijna geen faciliteiten om ze te steriliseren of anderszins voor ze te zorgen. Als er katten om de een of andere reden moeten worden gevangen, zijn het de carabinieri die de gattari om hulp vragen, in plaats van andersom.

Ik had een hele tijd geprobeerd een van deze gattari in onze buurt te interviewen. Ik wist dat er af en toe een paar oudere vrouwen met plastic zakken en plastic bordjes (en vaak op vilten pantoffels) naar de Piazza Borghese kwamen om restjes spaghetti of tonijn achter te laten voor de zes of acht katten die onder of op geparkeerde auto's leefden. Maar ze zijn niet meer zo algemeen als vroeger. Ik vroeg Giovanni, die toezicht houdt op het parkeren op de Piazza Borghese, of hij bij me wilde aanbellen als een van die gattari langskwam, maar hij ging op onderzoek uit en verklaarde dat de dames niet meer naar de piazza kwamen.

'Ik denk dat die ouwe taarten het loodje hebben gelegd,' verklaarde hij. 'De meeste katten trouwens ook. Ik heb gehoord dat de *portieri* die allemaal vergiftigen.'

Het idee dat alle gattari 'ouwe taarten' waren klopte ook niet. Toen ik mijn zoektocht naar kattendames voortzette, ontdekte ik dat er een vooraanstaande Principessa was die in een paleis op de Via dell'Umiltà woonde en elke dag de hele zwerfkattenpopulatie rond de Fontana di Trevi te eten gaf. Ze verscheen elke dag rond tien uur op de piazza, vergezeld van haar dienstbode, die een grote boodschappenwagen vol speciale menu's voor iedere kat meezeulde. De Principessa, die meestal in het zwart was gekleed, pakte de borden zelf uit en wees welke maaltijd voor welke kat was bedoeld. Ze voerde elke morgen tien tot twaalf katten en had speciale medicijnen bij zich voor katten die ze nodig hadden. Als ze er slecht aan toe waren stopte de dienstbode ze in een mand om ermee naar de dierenarts te gaan. Het verhaal wil dat de dame haar dagelijkse *gat-*

tara-activiteiten uitvoerde zonder dat haar man, de Principe, hier iets van wist.

Ik heb gehoord van een andere kattendame, de vrouw van een politierechter, die elke morgen om vijf uur opstaat om een grote partij kippenlevertjes te koken, die ze vervolgens in een winkelwagentje laadt om vele tientallen katten overal in de buurt te voeren. Haar man klaagt dat het huis voortdurend naar gekookte kippenlever ruikt.

Wat ik niet wist, was dat terwijl ik voor ons gebouw op jacht was naar kattendames, het steegje achter ons huis, de Vicolo di San Biagio, regelmatig bezoek kreeg van een hoge kattendame uit het centrum van Rome, de beeldschone Sandra, die om de dag op haar motorfiets kwam om een grote zwart-met-witte kat, die het leven in het steegje regeerde, te voeren en aan te halen. We noemen de kat de Hertog, vanwege zijn kieskeurige smaak. Hij ligt graag op het doorgezakte canvas dak van onze oude rode Citroën te slapen omdat hij dat zachter en koeler vindt dan de harde bovenkant van zelfs de chicste BMW.

Ik ontdekte Sandra op een morgen bij toeval om halfnegen, toen ik naar buiten keek om te zien wat voor weer het was, en ik een stijlvol geklede jongedame van een heel glimmende *motoretta* zag stappen. Ze parkeerde de motorfiets en kreeg onmiddellijk gezelschap van de Hertog, die naar haar toe holde om aanhankelijk langs haar enkels te schurken terwijl zij een plastic bakje met eten tevoorschijn haalde en een kleiner bakje met water. Terwijl de Hertog zijn ontbijt nuttigde, begon zij de straat aan te vegen, een gebaar dat was bedoeld om de algemene klacht dat de gattari van Rome een spoor van rommel achterlaten te voorkomen.

Daarna haalde ze, tot mijn verbazing, nog meer eten uit haar tas en liep ermee naar de hoek van het steegje, waar ze het tussen een groep wachtende duiven strooide. Terwijl ze hiermee bezig was, vloog er nog eens ruim een tiental duiven omlaag om zich te goed te doen. De jongedame vertelde me later dat ze de duiven voerde opdat die zich niet op het ontbijt zouden storten dat zij voor de Hertog had klaargemaakt.

Aangezien ik nog in mijn nachthemd was, kon ik niet omlaaghollen naar het steegje, maar Gina, die helemaal aangekleed was, bood aan om in mijn plaats een praatje te gaan maken. Tegen de tijd dat ze beneden was, was de jongedame verdwenen, maar Gina informeerde bij de winkeliers in de buurt en vond een verkoopster in een kledingwinkel die bevriend was geweest met de gattara. Twee dagen later gaf ze me een kaartje met haar telefoonnummer. Toen ik haar opbelde, ontdekte ik dat Sandra niet zomaar een gewone gattara was, maar dat ze deel uitmaakte van een gespecialiseerde groep vrijwilligers die voor een particuliere liefdadigheidsinstelling, La Colonia Felina di Torre Argentina (de Kattenkolonie van Torre Argentina) werkte. Het plein van de Torre Argentina bevat de ruïnes van een oud Romeins forum dat tot enkele meters beneden straatniveau is uitgegraven, en er hebben jarenlang dakloze katten onder de poorten gewoond. Sommige Romeinen vonden de katten romantisch en er zijn sentimentele dichters geweest die fantaseerden dat de katten in werkelijkheid de geesten van Romeinse senatoren waren die als kat waren teruggekomen om te midden van de grootsheid van hun verleden te kunnen vertoeven. De naakte feiten willen dat de meeste katten van de kolonie aan ernstige ziekten leden – van FELC (kattenleukemie) tot FIV (Feline Immunity Virus), dat veel op HIV bij mensen lijkt, maar niet overdraagbaar is.

Toen in 1992 het hulpplan voor de katten van Torre Argentina werd opgesteld, bestond de kolonie uit 197 katten. Nu het centrum algemeen bekend is, is het aantal katten dat op de stoep van de kolonie wordt achtergelaten gestegen tot 485 per jaar, wat betekent dat er bijna iedere dag een of twee katten worden gedumpt. De favoriete tijd om katten (en ook honden) achter te laten is vlak voordat de Romeinen in juli of augustus voor hun zorgeloze vakantie vertrekken.

'Het is een ondoenlijke strijd,' zei de directeur van de kolonie, signora Lequel, die me begroette toen ik bij het centrum arriveerde. 'De meeste katten die hier worden achtergelaten zijn ziek en ondervoed. Veel gaan dood voordat we ze zelfs maar kunnen behandelen. Het eerste dat we meestal doen is proberen ze schoon te maken en ze daarna tegen de ergste kattenziekten inenten.

Maar het allerbelangrijkste is dat we ze steriliseren. Dat is onze prioriteit. De stad heeft een wet dat alle zwerfkatten moeten worden gesteriliseerd, maar in de praktijk blijken de dierenklinieken van de stad helemaal niet goed te werken. Dus betalen we de dierenartsen zelf, van onze contributies. Dierenartsen geven geen korting, dus kost het ons 250.000 lire om een poes te steriliseren en 150.000 om een kater te castreren. Anders zouden ze zich veel te snel voortplanten en zouden al hun jongen een hopeloze strijd tegen ziekte en uithongering moeten leveren.

Daarna bieden we ze ter adoptie aan. Maar het aantal adopties blijft stabiel op ongeveer 250 tot 300 per jaar, terwijl het aantal achtergelaten katten stijgt. We verliezen langzaam maar zeker terrein.'

Op dat moment kwam Sandra, die naar een bureau van de carabinieri in Trastevere was geroepen om advies te geven over een lastige kater, terug naar het centrum. Het was een knap meisje van achter in de twintig een jongere, langere uitgave van Sophia Loren, met verbijsterend groene ogen.

Sandra vertelde ons dat ze de probleemkat op het politiebureau had gezien en dat ze hem zo onhandelbaar vond dat er was besloten dat ze de volgende dag met haar kattenvanguitrusting zou komen om hem mee te kunnen nemen om te worden gesteriliseerd.

'De commandant die voor de katten zorgt zegt dat dit een heel woeste oude *maschio* (kater) is, die voortdurend vecht. Het is een herrieschopper, en hij is ook nog ziek. Dus heb ik beloofd morgen terug te komen om hem te vangen.'

Signora Lequel knikte instemmend. 'Sandra is onze beste kattenvanger,' zei ze tegen mij. 'Ze heeft meer begrip voor de psychologie van een kat dan de meeste anderen en ze bestudeert het dier voordat ze het probeert te vangen. Het is maar zelden dat het haar niet lukt.'

Ik zei dat ik graag zou willen zien hoe Sandra de kater ving. Tot mijn verbazing stemde Sandra ermee in dat ik haar bij de poort van het hoofdbureau van de carabinieri, naast de Giardino Botanico in Trastevere zou ontmoeten.

'Maar je moet wel achter me blijven en heel stil zijn,' zei Sandra. 'Er zijn twee mensen voor nodig, de kapitein en ik, om dit dier te vangen. Hij mag alleen de kapitein zien, omdat hij die kent. Hij mag mij helemaal niet zien en hij mag me ook niet horen of ruiken. We moeten minstens vijf meter bij hem vandaan blijven. Begrepen?'

De volgende morgen nam ik om halfnegen mijn positie in voor

de oranje bakstenen muur van het hoofdbureau van de carabinieri, dat op de Gianicolo-heuvel stond. Korte tijd later verscheen Sandra op haar motorfiets. Ze droeg een zwarte lange broek en een T-shirt met lange mouwen en ze had twee grote vierkante metalen kooien, die in elkaar pasten, aan haar motorfiets hangen. Ernaast was een visnet met lange handgreep en versterkte mazen vastgemaakt.

Er stapte een agent naar buiten om haar te begroeten. 'Wie wilt u spreken?' vroeg hij.

'Ik kom voor de commandant,' zei ze. 'Over een kat. Hij heeft me gisteren gebeld.'

De agent bleef bedenkelijk kijken, dus haalde Sandra een kaartje uit haar zak en gaf hem dat:

BELLOCCIO
CATTURATORA DI GATTI (kattenvanger)
LA COLONIA FELINA DI TORRE ARGENTINA

De agent bekeek het kaartje even en greep toen de telefoon. Binnen enkele minuten was de commandant bij de poort: een knappe jongeman met gitzwart haar, gekleed in een fraai zomeruniform.

'Ik ben blij dat u kon komen,' zei hij. 'Die grote jongen bezorgt ons veel last.'

Sandra knikte en liep met ons naar haar motorfiets, waar ze de twee kooien begon los te maken.

'Ik denk niet dat we het net zullen gebruiken,' zei ze tegen mij. 'Dat is eigenlijk voor jonge katjes en kleine katten. Een grote kater zou het gemakkelijk kapot kunnen maken.'

Ze gaf mij de ene kooi en nam zelf de andere.

'Goed, Capitano,' zei ze. 'Gaat u eerst. Zodra u de kat ziet, moet u ons een teken geven om stil te staan, zodat hij ons niet ontdekt. Daarna zet ik de kooi neer en zullen we ons in de struiken verstoppen.'

De commandant liep voor ons uit, langs het hoofdbureau van de carabinieri, waar enkele collega's onze processie met open mond volgden.

'Hé, Capitano, waar gaat dat naartoe? Vissen? Als u vis zoekt, dan is de Tiber de andere kant uit!'

De kapitein grinnikte. 'We zoeken geen vis, mannen, we zoeken katten.'

Nieuwsgierig vroegen een paar jonge soldaten toestemming om mee te gaan.

'Wie moet de kat vangen?' vroegen ze.

'Ik,' antwoordde Sandra. 'Ik ben kattenvanger.'

'O la la,' riep een van de soldaten. 'U mag mij wel vangen, signorina, wanneer u maar wilt.'

Binnen enkele minuten hadden we het park achter het bureau bereikt.

'Dit is het gebied waar we hem kunnen vinden,' zei de commandant op gedempte toon. 'Ze zitten hier, en ook in de Botanische Tuinen.'

Sandra overzag het toneel. We stonden in een open bomenland, met vlekken zonlicht die door de bladeren vielen. Ze wees naar een bosje met gele brem.

'We gaan ons achter deze bremstruik verschuilen,' zei ze tegen de commandant, en ze gaf hem de grootste kooi, die eruitzag als een overmaatse muizenval. 'U kunt de kooi het best daar op de open plek zetten, zodat hij de aandacht trekt. Laat de kooi open. Als u de kat ziet, moet u hem naar de kooi lokken. Hier is een lekker stuk vlees. Houd dat de kat voor, zodat hij eraan kan ruiken, en leg het daarna in de kooi. Als hij erin gaat, moet u het deurtje snel dichtdoen.'

De kapitein pakte het stuk vlees aan en knikte bedenkelijk.

'*In bocca al lupo* [in de bek van de wolf],' riep Sandra, wat 'veel succes' betekent.

'U bedoelt *in bocca al gatto* [in de bek van de kat],' antwoordde hij.

De commandant zette de kooi op de open plek tussen de bomen en vertrok om de kat te zoeken. Even later kwam hij terug, op de hielen gevolgd door een heel grote zwart-met-witte kater bij wie de helft van het rechteroor was afgebeten.

De commandant liep regelrecht naar de kooi en legde het stuk vlees erin, maar de kat ging er niet achteraan. In plaats daarvan sloop hij langs de buitenkant van de kooi en snoof wat in de lucht, tot hij de open kooideur ontdekte. Hij bekeek die een poosje en besloot toen niet naar binnen te gaan.

Sandra fluisterde: 'Hij is te slim. Ik ga het met de andere kooi proberen.' Ze pakte de tweede kooi en maakte snel de bodem, die afneembaar was, los en gaf hem aan mij.

'Ik ga proberen hem te verrassen,' zei ze. 'Ik laat deze kooi over hem heen vallen, en zodra ik hem te pakken heb, moet jij hierheen komen en dan schuiven we de bodem onder de kooi zodat hij gevangenzit. Begrepen?'

Ik knikte, maar voor ik nog vragen kon stellen was Sandra opgesprongen en sloop ze naar de kat. Met de trefzekerheid van een zwaardvechter zwiepte ze de bodemloze kooi over het dier heen. De kat slaakte een woedende brul omdat de punt van zijn staart onder de rand van de kooi zat, maar de kapitein bukte zich snel en duwde de staart erin. Daarna, terwijl de commandant de kooi tegen de grond gedrukt hield, gaf ik Sandra de bodem, die ze er snel onder schoof, zodat het krijsende dier niet kon ontsnappen. Ze pakte de kooi bij het handvat en we liepen haastig naar het hoofdbureau terug, waar alle aanwezige agenten ons toejuichten.

De commandant liet een patrouillewagen komen. Samen met Sandra klom hij op de achterbank, waarbij Sandra de kooi met de kat stevig vasthield, en met loeiende sirenes snelden ze naar de dierenarts. Eindelijk was de 'carabinierikat' gevangen.

Twee weken later zag ik Sandra toevallig toen ze het steegje aan de achterkant in kwam en ik liep naar beneden om een praatje met haar te maken. Haar nieuws was heel positief. De kater die zoveel overlast had veroorzaakt was als een ander dier in zijn kolonie teruggekeerd. Een succesvolle castratie had zijn testosteronspiegel dusdanig verlaagd dat hij niet meer bij gevechten betrokken was. Hij was een modelburger geworden, een perfecte mascotte voor de carabinieri.

Sandra stond ook voor nieuwe spoedgevallen. Eerst kwam er een telefoontje van het ministerie van Binnenlandse Zaken, over een eenzame zwangere kat die het hoofdgebouw op het Quirinale binnen was gekomen en in een buis van de airconditioning een nest jonge poesjes had geworpen. Niemand wist hoe de kat erin was gekomen, maar de jammerkreten van de jonge poesjes klonken door het hele gebouw.

De onversaagde Sandra vroeg om assistentie van een loodgieter van het ministerie en lokaliseerde het nest. De moederkat was de buizen van de airconditioning waarschijnlijk via een luchtgat binnengegaan en kon de weg naar buiten niet meer vinden. De loodgieter wist het luchtgat groter te maken zodat Sandra haar arm erin kon steken en een van de katjes kon aanraken. Maar zodra ze de vacht voelde, beet de moeder haar. Sandra trok haar hand terug, deed een leren handschoen aan, en haalde daarna de moederkat er eerst uit, waarna zes kleine, uitgedroogde jonge poesjes volgden. Ze werden naar de kattenkolonie bij de Torre Argentina gebracht, waar de moeder snel werd gesteriliseerd. De poesjes werden schoongemaakt en kregen hun injecties tegen kattenziekten. Zij zouden pas later worden gesteriliseerd.

'We geven katten nooit weg,' zei Sandra, 'voordat ze zijn gesteriliseerd. Dat is onze eerste regel.'

Kort hierna was er een nieuw spoedgeval: een onlangs achtergelaten kat zat vast in een boom, aan de rand van de ruïnes van de Torre Argentina. Deze kat was terechtgekomen op de lange, dunne zijtak van een pijnboom, op vijftien meter boven de grond, en had daar meer dan een dag zitten mauwen terwijl de kattendames probeerden haar naar beneden te lokken. Ten slotte, omdat ze geen ladders hadden die lang genoeg waren om het dier te bereiken, riepen ze de brandweer van Rome te hulp.

De *pompieri* stuurden er een brandweerauto met loeiende sirenes naartoe en binnen recordtijd hadden ze een ladder tegen de zware stam van de boom gezet. Een brandweerman, gekleed in een lichtgevend geel pak, klom omhoog. Maar de kat was binnen de kortste keren naar een nog dunnere tak verhuisd. De brandweerman haalde een opgevouwen zaag uit zijn zak en ging de tak te lijf tot deze afbrak en op de grond viel, waarbij de kat werd meegesleurd.

'TRIONFO,' kopte *Il Corriere della Sera* de volgende morgen. 'Dappere brandweerlieden van Rome redden gestrande kat bij Torre Argentina.'

'Er was alleen één ding dat niet klopte aan dat verhaal,' zei Sandra tegen me. 'Ze vergaten erbij te zeggen dat de kat dood was zodra ze de grond raakte.'

Zulke dingen kunnen gebeuren.

14

Heren in de tuin

TOEN ALLE BRONSGIETERIJEN IN ROME WERDEN GESLOTEN, GING Robert naar het stadje Pietrasantra, aan de kust van Toscane, vlak boven de drukke badplaats Viareggio, om zijn bronzen in de uitstekende gieterijen aldaar te laten vervaardigen. Als het mooi weer was, reed ik soms met hem mee en stopten we onderweg om oude huizen en nieuwe tuinen te bekijken.

Zo hadden we in een weekend begin mei twee projecten op het oog. Robert wilde naar de heuvels bij Volterra, waar hij albast hoopte te vinden om te bewerken. Ik wilde een Augustijns klooster in het nabijgelegen plaatsje Venzano bekijken omdat me was verteld dat daar twee jonge Australiërs een florerende nieuwe kwekerij hadden, gespecialiseerd in aromatische en medicinale planten.

Het albastonderdeel bleek heel eenvoudig. We waren van plan een albastgroeve te bezoeken, maar we ontdekten midden in Volterra een werkplaats waar steenhouwers in een stoffig souterrain asbakken en madonna's voor de toeristen produceerden. Boven vond Robert een stuk albast te koop dat precies groot genoeg was voor het beeld van een meisje dat hij wilde maken. Albast is een schitterend materiaal om beelden van kleine kinderen uit te houwen, maar het enige nadeel is dat het veel zachter is dan marmer en daarom met een vijl in plaats van met een beitel moet worden bewerkt.

Naar Venzano gaan om het klooster te bekijken was iets ingewikkelder, omdat de weg gevaarlijk zigzaggend een eenzaam dal in liep, met aan weerszijden duizelingwekkende afgronden. Maar toen we ten slotte bij de kwekerij arriveerden, werden we begroet door een tafereel dat zo mooi en lieflijk was dat het regelrecht uit een gedicht van Ovidius leek te zijn gekomen.

Voorbij de lichtgele bakstenen muren van het klooster, die werden verzacht door een heleboel kamperfoelie en ranken met bloeiende rozen, konden we onder de pergola's en langs de paden alleen maar verhoogde perken zien die gevuld waren met een zee van verschillende kleuren rozerood – roze, meekraprood, karmijn en vermiljoen – naast vele rijen violette, roze en paarse lavendel, en enorme massa's tijm en rozemarijn, dit alles verlevendigd door de fladderende vleugels van vlinders en zoemende bijen. Er kwam een lange, slanke jongeman naar ons toe om ons te begroeten. Hij stelde zichzelf voor als Don, de hoofdtuinman. Hij feliciteerde ons omdat we de kwekerij zo snel hadden gevonden en hij nam ons mee om de bloemen te bekijken.

'Ik denk dat ik zonder op te scheppen kan zeggen dat wij de grootste verzameling geurende planten buiten Engeland hebben,' zei hij. 'Waar anders kun je buiten Engeland een tuin vinden die zeventig variëteiten tuinanjers bevat, en negentien lavendel, elf munt, zes kattekruid, tien rozemarijn, eenentwintig *Salvia*, zevenendertig tijm en negenenveertig geurende *Pelargonium*, om nog maar te zwijgen van jasmijn, clematis, kamperfoelie en passiebloem?'

We wilden weten hoe hij in dit onbekende dal terecht was gekomen. Hij legde uit dat hij, voormalig geoloog, en zijn partner, tekenaar van planten, tien jaar geleden Florence hadden bezocht en dat ze daar toen over de oude ruïne in de buurt van Volterra hadden gehoord. Na het nodige zoeken hadden ze de resten van het klooster gevonden en tot hun vreugde hadden ze ontdekt dat er ook een boerderij bij hoorde, die in bewoonbare staat verkeerde. Ze hadden dit huis onmiddellijk in huurappartementen onderverdeeld. Daarna gingen ze tien uur per dag met monnikenijver aan de slag om hun kwekerij Vivaio Venzano te veranderen in de mooiste en uitvoerigste verzameling aromatische planten die waar dan ook te vinden was. Uit heel Italië weten tuiniers de weg naar hun deur te vinden.

'U zult hier niet veel van die planten zien waarmee de kleurenpagina's van *Vogue* of *House & Garden* vol staan,' zei Don tegen ons. 'We kweken voornamelijk planten voor gemakkelijk te onderhouden tuinen. Geen theerozen hier; die krijgen te gauw ziekten. En ook geen *Delphiniums* of planten voor de gemengde border. We zijn dol op de kleine margrietenplanten die in de velden rond het huis groeien – keurige heestertjes met grijze of zilverkleurige blaadjes die het zonlicht weerkaatsen, of vetplanten die hun eigen water in hun bladeren en stelen bewaren.'

Hij hield ook van veel soorten rozen, vooral de rozenstruiken die in de bergen van China groeien en die het zo goed doen in het mediterrane klimaat, waar ze bijna het hele jaar bloeien. Bloembollen met hun eigen ingebouwde voedselvoorraad waren eveneens favoriet, evenals de zeldzame lelies die uit zaad werden opgekweekt, zoals de beedschone oranje *Lilium henryi* die naar peper geurt, en de zuiver witte *Lilium martagon* (Turkse lelie) – 'gewoon te mooi om in de tuin te zetten.' Andere lelies die hij gemakkelijk te kweken vond waren die welke door plantenverzamelaars in het wild waren gevonden, zoals *Lilium formosanum* uit Taiwan met witte, trechterachtige bloemen met donkerrode of paarse stippen op de buitenste bloembladeren, en nog een andere Formosa-lelie die zuiver wit is. Hij kweekte ook een Nepalese lelie met mooie hangende bloemen in een groengele kleur, en een Filippijnse lelie, een zuiver witte trechter met rode vegen op de buitenste bloembladeren.

De tuinmannen hadden ook een indrukwekkende verzameling iriswortelstokken, waaronder veel wilde planten uit Portugal en de Balkan. Don had zeven verschillende versies gevonden en gezaaid van de beroemde *Iris unguicularis* (ook wel bekend als de Algerijnse iris), die met veel enthousiasme iedere winter van december tot maart bloeit. Naast de bekende Algerijnse iris in donker kobaltblauw bemachtigde hij een Griekse winterbloeiende iris met witte bloemen en gele strepen in het midden, een winterbloeiende lavendelkleurige iris uit Kreta, en nog een Griekse, paars met gele strepen.

Er waren ook ongebruikelijke winterbloeiende bollen, waaronder een verzameling *Lachenalia*-bollen uit Zuid-Afrika, waar ze bekendstaan als Kaapse primula. Ze hebben opvallende rood-met-gele bloemen op stelen en ze worden meestal als potplant gekweekt. Aangezien hij zelf van het zuidelijk halfrond kwam, was Don niet tevreden zonder in zijn verzameling een verwijzing te hebben naar de meer exotische bloemen uit warme streken. Daaronder bevonden zich verscheidene variëteiten van de *Datura* (tegenwoordig *Brugmansia* genaamd), die meestal 's winters naar binnen moeten. Hij was al even enthousiast over zijn tropische kamperfoelie, *Lonicera hildebrandiana* uit Birma, die vanaf juni tot augustus dubbel zo grote bloemen vormt, die roomwit beginnen en naarmate ze ouder worden oranje kleuren. Een andere geurende klimmer is de *Jasminum odoratissimum*, die afkomstig is van het eiland Madeira en die eindstandige heldergele bloemen heeft die langdurig naar oranjebloesem geuren. Maar zijn favoriet was een variëteit van *Jasminum sambac*, die de schitterende titel 'groothertog van Toscane' droeg. Hij zag deze schoonheid – een ronde, dubbele bloem met een opmerkelijke geur – voor het eerst op het eiland Kreta, maar hij kon de plant daar niet kopen. Onlangs had een vriend van hem een stekje ervan voor hem meegebracht en hij deed nog steeds zijn uiterste best om dat stekje te laten wortelen.

Inheemse planten uit Australië waren op geheimzinnige wijze afwezig op de kwekerij in Venzano.

'Als u het echt wilt weten, dat komt doordat ik helemaal niet zo dol op Australische planten ben,' legde Don uit. 'Ze zijn lelijk en stekelig, en ze geuren niet. Kangoeroepootjes, bijvoorbeeld.'

Het werd duidelijk dat hij zijn hart had verpand aan dat zonnige stukje heuvel in Toscane, waar de aarde de echte geelbruine siennakleur heeft en waar de gierzwaluwen 's ochtends en 's avonds heen en weer duiken en schieten.

'Venzano is altijd een plaats vol schoonheid geweest,' zei hij. 'De plaatselijke bevolking komt hier om te picknicken en om de mis in de kapel bij te wonen. Ze komen om het water van de bron te proeven. Sommige oude mensen vertellen dat ze hier zijn verwekt.'

Onder Dons vaste klanten bevond zich lord Lambton, die van zijn villa in de buurt van Siena kwam, en het hoofd van de Bobolituinen in Florence, die probeert in het park weer een tuin met antieke rozen aan te leggen.

'De directeur komt altijd met een boek van Penelope Hobhouse onder zijn arm. Hij bestelt een paar honderd negentiende-eeuwse rozen en lelies,' zei Don. 'Ik denk dat wij de grootste leliecollectie van Italië hebben.'

Toen we onze auto hadden volgeladen met lelies en Chinese rozen, werd er voorgesteld dat we de villa en tuin van lord Lambton, op nog geen uur rijden, zouden bezoeken.

'Het is een beroemde Chigi-villa uit de vijftiende eeuw, en lord Lambton heeft de beste restauratie verricht die ik in heel Toscane heb gezien. Veel Britse nieuwkomers bezitten niet het geld dat de Actons en de Sitwells in de jaren voor de oorlog te spenderen hadden.'

Don waarschuwde ons dat het niet waarschijnlijk was dat we lord Lambton zelf zouden ontmoeten, aangezien hij buiten zijn intieme vrienden zelden anderen ontving. Maar terwijl we naar het zuiden reden, zochten we zijn tuin in Centinale op in onze gids. Het landgoed Centinale was inderdaad tot 1977 in handen van de familie Chigi geweest. Zoals Don had verteld, was het in de vijftiende eeuw, toen de Chigi's gewone geldschieters waren, een groot vierkant huis zonder franje geweest. De eigenaren hadden de gewoonte hun bezit te vergroten en te verfraaien naarmate hun fortuin toenam. In de zestiende eeuw, toen ze de bankiers van pausen en koningen werden, kreeg het buiten een grootser uiterlijk.

De werkelijke *salta di qualità* (sprong in kwaliteit) kwam echter in de volgende eeuw, toen twee leden van de familie paus werden, eerst Alexander VII, die op Centinale was opgegroeid, en daarna zijn neefje Flavio. Flavio nam de architect Carlo Fontana in dienst om een imposante dubbele marmeren trap voor de westelijke ingang naar Centinale te ontwerpen en te bouwen. Fontana verbeterde het pand daarna nog verder door er een sierlijk gewelfde loggia aan vast te maken. Deze gigantische stap van landelijke nonchalance naar pauselijke praal werd compleet toen marmerhouwers de opdracht kregen statige ornamenten boven de nieuwe ingangen te hakken. De westelijke ingang werd verfraaid met het wapen van de familie Chigi, de pauselijke mijter en de sleutels tot het koninkrijk der hemelen – niets minder. Op deze manier zou iedere bezoeker worden overweldigd door al deze pracht.

Fontana construeerde ook gebouwen aan weerszijden van de zuidelijke ingang. Rechts was een *limonaia* of citroenkas, en links een lage *fattoria* of boerenwoning. Deze nieuwe gebouwen stonden, met de villa, rond een groot naar het zuiden gericht voorplein, dat werd opgevrolijkt door gesnoeide taxussen en verscheidene enorme marmeren beelden. Iets verderop zou een bezoeker een kleine kapel, een moestuin, een openluchttheater, een klokkentoren en een gewijd bos kunnen vinden, en op de top van een heuvel een *romitaggio* of kluizenaarshut, waar ooit twaalf eenzame monniken zaten te mediteren. (Het was hun taak goede werken te doen en de stervenden te troosten, in ruil waarvoor ze boeken, meubels en eten ontvingen.) Verspreid over de helling stonden tientallen beelden, benevens een reeks landelijke kapelletjes.

Toen lord Lambton er in 1977 arriveerde, was de villa sinds 1959 niet meer bewoond geweest. De paden waren verzakt en de tuinen waren volledig door harig vingergras en moordzuchtige braamstruiken overwoekerd. Maar het was een prachtige zonnige middag toen Robert en ik er halt hielden. We gingen een ijzeren hek door en bevonden ons toen op het beroemde zuidelijke voorplein, waar de beelden van Voorjaar en Zomer ons begroetten, samen met enkele sierlijke groene, in vorm gesnoeide pagodes.

Robert was niet onder de indruk van de beelden, maar hij was vol bewondering voor de gesnoeide pagodes, die uit taxus bestonden.

'Deze taxussen zijn geweldig!' riep hij uit. 'Dit is echt vakwerk! Hier is een levend beeld uit een boom gehouwen.'

Een tuinman, die de citroenen voor de citroenkas had staan snoeien, deed een paar stappen naar ons toe. Het was een lange man met een oude grijze flannel broek en zo'n vrolijk corduroy jasje als de Toscaanse boeren graag dragen.

'Wat leuk dat u dat zegt,' zei de man in vlekkeloos Engels. 'Ik snoei die taxussen zelf, twee keer per jaar.'

Robert en ik keken elkaar even aan en dachten hetzelfde met betrekking tot zijn identiteit. Bijna meteen drong de man erop aan ons de hele tuin zelf te laten zien. Niets is voor een tuinman zo leuk als zijn werkstukken tonen aan een stelletje tuingekken.

Eerst liep hij met ons naar de ommuurde moestuin vlak onder de villa. Deze was aangelegd in de vorm van een 'L' die langs de muur van de villa erboven liep en door een grindpad in het midden in tien afzonderlijke stukjes was verdeeld, elk ongeveer ter grootte van een volleybalveld. De tuinen werden van elkaar gescheiden door een reeks pergola's waarvan sommige met wijnranken waren begroeid en andere met ramblers.

De eerste twee stukjes waren welvoorziene moestuinen, de volgende twee werden voor bloemen gebruikt. Aan één kant was een verzameling bloeiende *Salvia*'s, waaronder de donkerpaarse *guaranatica* en de lichtere blauwe *uliginosa*. Hiernaast was een perk vol ouderwetse rozen met irissen eromheen, en tussen deze perken door stonden op onregelmatige afstanden nog eens vier grote, in vorm gesnoeide taxussen.

De volgende twee tuinen hadden een magnolia als middelpunt. Bij één magnolia bestond het land eromheen uit gras, terwijl bij de andere grijsbladige planten stonden – *Artemisia* (alsem), kruipende rozemarijn, *Lavandula dentata* en een heleboel blauweregen.

Om de hoek leidde het pad naar nog eens vier perken met rozenstruiken die door mooie kakibomen (*Diospyros kaki*, dadelpruim) werden overschaduwd. In de verste hoek was een ouderwets natuurstenen waterreservoir dat eeuwenlang was gebruikt om water uit te putten om de wijnranken te besproeien en de moestuin te begieten. Dit reservoir was op ingenieuze wijze tot zwembad verbouwd en door de verweerde stenen van het reservoir te gebruiken in plaats van de meestal zo glimmende tegels, had lord Lambton de akelige turkooizen gloed van een modern zwembad weten te vermijden.

Eenmaal buiten deze tuin leidde het pad door een geknipte haag van rozemarijn naar een boomgaard met nieuwe aanplant, waarin lord Lambton mispels, kweeperen, appels en peren had gezet, benevens een rij limoenbomen en wat bloeiende heesters zoals de paarse pruikenboom en *Buddleia crispa*. Deze bomen en heesters stonden op een open weiland dat één keer per jaar voor het hooi werd gemaaid.

Toen we de moestuin verlieten, merkten we op dat de nieuwe eigenaar erin was geslaagd op ingenieuze wijze enkele van de beste elementen uit de Italiaanse en Engelse tuinarchitectuur te combineren.

Onze elegante gids schudde ongeduldig zijn hoofd. 'Dat is niet waar,' zei hij. 'Een van de Chigi's die hier aan het begin van de twintigste eeuw woonde, had een Engelse moeder, een voormalige juffrouw Elliott, en zij heeft deze tuin zelf ontworpen. De zuster van juffrouw Elliott heeft een beroemd boek over Italiaanse tuinen geschreven, *An Idle Woman in Italy*. Het enige dat ze hier hebben gedaan is alles weer in de staat van het originele ontwerp brengen.' (Ik constateerde dat in de geschiedenis van Italiaanse tuinen vaak naar Engelse of Amerikaanse grootmoeders wordt verwezen.)

Onze gastheer stelde toen voor ons het andere interessante gegeven van de tuin te laten zien, waar hij heel trots op was: de restauratie van de imposante zeventiende-eeuwse laan die vanaf de noordkant van de villa recht omhoogvoerde naar de *romitaggio* van vijf verdiepingen. Deze ommuurde laan van gras was even breed als de villa, liep geleidelijk omhoog en eindigde in twee grote poortpilaren van rode baksteen met een beeld erbovenop. Voorbij deze pilaren werd de laan smaller en liep hij naar een volgende poort, die met obelisken en bollen was versierd. Hier stond in een hoek een beeld van Napoleon (men neemt aan dat Napoleon op Centinale heeft geslapen), en hierachter lag een half-cirkelvormig openluchttheater.

Nadat hij ons in het bos had rondgeleid liep de tuinman weer met ons naar beneden en nodigde ons uit op de overdekte loggia, waar hij twee grote jachthonden van de bank joeg en ons een glas uitstekende witte wijn van Centinale aanbood.

'Ik heb er bijzonder van genoten u te ontmoeten, madame,' zei hij. 'En ook uw man. U weet heel veel over tuinieren op het land, en ik hoop dat u ons nog eens zult komen bezoeken.'

Ik heb een paar keer overwogen weer bij hem langs te gaan. Maar het is er nooit van gekomen.

Voor wie een tuin wil restaureren is het zeer de moeite waard de restauratie van lord Lambton te bekijken, want hij heeft al zoekend een weg weten te vinden naar het soort onderhoudsarme, zorgeloze tuin dat wellicht nog zal bestaan tegen de tijd dat de meeste elegante parterres en symmetrische beplantingen van Toscane zijn verdwenen. Zoals hij ons luchthartig vertelde: 'Ik laat het gras 's zomers gewoon bruin worden. Een knalgroen gazon lijkt in Toscane heel misplaatst, vooral in juli en augustus, wanneer alle velden bruin zijn.' Dat is maar al te waar.

15

Notities na een lange zomer

IN DE LOOP DER JAREN WAS HET IN ONS GEZIN DE GEWOONTE GE-
worden om zodra de scholen waren afgelopen en het warm weer
begon te worden naar ons buitenhuis in Canale te gaan. Maar er
was één zomer waarin we beiden zowel in juli als in augustus in
Rome bleven. De kinderen zaten in Amerika, Robert had werk in de
gieterij te doen en ik wilde mijn tijd in de bibliotheek doorbrengen
om onderzoek te doen voor een boek over Utopia. Dus konden we
genieten van ons Romeinse terras, dat heel compact en kleinschalig
was vergeleken bij onze uitgebreide tuin op het land, waar we regelmatig loslopende paarden en varkens moesten verjagen omdat
ze in onze moestuin kwamen snoepen, tot we een tractor vonden
om de groenten mee onder te ploegen.

In de stad waren er minder spoedeisende gevallen, dus had je de
tijd om over miniproblemen na te denken, zoals waarom de geraniums het niet goed deden, waar de gekko's vandaan kwamen, en
waarom de mooiste klimplanten altijd probeerden over de muur
naar het terras van de buren te ontsnappen. Nu we een hele zomer
de tijd hadden om zulke dingen te bestuderen, deden we enkele
nieuwe inzichten op met betrekking tot de mysterieuze wereld van
de natuur.

Zo was ik er bijvoorbeeld altijd van overtuigd dat wanneer geraniums in potten doodgingen, dat geheel aan mezelf te wijten was.
Gedurende onze zomer in Rome was mijn verdriet ongekend toen
ik zag hoe de ene na de andere mooie roze geranium verpieterde en
het loodje legde. Ik dacht dat ik ze had verwaarloosd, dus probeer-

de ik met extra mest en veel water de andere te redden. Vergeefs. Ten slotte, toen de vierde schoonheid er pips begon uit te zien, trok ik hem uit de pot om te kijken of er soms een slak aan de wortels vrat. Maar wat trof ik aan? Waar de wortels hadden moeten zitten, zat een armzalig theezakje. Dit, besefte ik, was daar aangebracht toen de kweker de stekjes had opgepot. Het zat vol hormonen en vitaminen om het plantje een voortijdige groeispurt te bezorgen, zodat het genoeg mooie bloemen kon voortbrengen om nietsvermoedende kopers als ik te lokken, terwijl de kweker verdraaid goed wist dat als de plant eenmaal groter werd, deze wortelvalstrik de bloemen zou wurgen. Ik ging met een nagelschaartje aan de slag om het theezakje weg te knippen, en tot mijn vreugde kan ik melden dat twee van mijn halfdode geraniums onmiddellijk nieuw blad vormden en nieuwe levenslust vertoonden.

Robert en ik zaten ook in Rome ten tijde van de zonsverduistering in augustus 1999. Bij deze gelegenheid was onze informatie ook al aan de karige kant. Er was ons uitvoerig verteld dat zonsverduisteringen ertoe leidden dat dieren zich vreemd gingen gedragen. Honden kropen onder de bank en wilden niet meer het huis uit, slangen kwamen uit de velden om in de buurt van water te zijn, en vogels gingen op de vreemdste uren van de dag op stok. Op het moment van de eclips zouden hanen naar verluidt gaan kraaien. Deze wonderbaarlijke wijsheid was voor ons van geen enkel nut, omdat de enige haan bij ons in de buurt op het terras van een antiquair op de Via della Lupa woonde en voortdurend kraaide, op alle uren van de dag en de nacht – waarschijnlijk uit eenzaamheid.

De kwestie van de uitrusting voor de eclips was voor ons ook omgeven door raadselen. Ik herinner me dat ik als kind door een beroet stukje glas naar een eclips had gekeken en de gedachte een speciale bril van tienduizend lire te kopen, alleen maar om iets te bekijken dat slechts een kwartier duurde, leek me te gek voor woorden. In plaats daarvan konden we ook door twee overbelichte negatieven over elkaar kijken.

De televisie droeg bijna niets bij op het gebied van voorlichting over deze zonsverduistering aan het einde van de eeuw. Ongeveer een uur voor de grote gebeurtenis vertoonde RAI, het belangrijkste Italiaanse tv-station, nog steeds de gebruikelijke tekenfilms en kookprogramma's. Een minuut of twintig later vonden we een commerciële zender die zo slim was geweest over te schakelen op de BBC in Cornwall, waar de eclips het best zichtbaar zou zijn. De hemel in Zuid-Engeland was bewolkt, maar de BBC had een cameraman in een Hercules-vliegtuig mee omhooggestuurd. Deze opnamen van boven het wolkendek waren adembenemend en, naar later bleek, de enige fatsoenlijke eclipsfoto's van die dag.

RAI daarentegen had besloten de grote gebeurtenis vanaf de top van een berg ten noorden van Bolzano te volgen, waar een knappe presentatrice in minirok met een beagle verscheen en aankondigde dat de hond ons door zijn vreemde gedrag zou vertellen wanneer de eclips precies begon. De beagle was zo onder de indruk van de knappe vrouw en alle cameramensen, dat hij zich boven op de berg charmant liep uit te sloven voor iedereen en geen enkel benul had van de grote gebeurtenis die zich boven in de lucht afspeelde.

Rond deze tijd besloten enkele andere zenders toch nog iets aan de eclips te doen, maar hun verslag bestond voornamelijk uit een presentator die met een microfoon voor een observatorium op een heuvel stond (nooit *in* een observatorium) om het publiek te waarschuwen niet omhoog te kijken met alleen maar een zonnebril op. Oogartsen in witte jasjes herhaalden op gezette tijden dat iedereen die zonder goede bescherming naar de eclips keek blind zou worden.

We lieten de tv ten slotte voor wat hij was en gingen naar buiten, naar ons met *Wisteria* overdekte terras, en ontdekten daar iets wat de beagle en alle oogartsen hadden nagelaten ons te vertellen: de eclips was in de omgeving van Rome al een heel eind gevorderd. De lucht zag er een beetje flets uit, dus tuurden we door een belicht negatief omhoog, en daar was het: de maan had een flinke hap uit de westelijke kant van de zon genomen. Er was in de appel gebeten. We keken om beurten door de ontwikkelde film en zagen hoe de maan er een steeds groter stuk vanaf haalde, en toen ik zat te wachten zag ik dat de vloer van ons terras was bezaaid met kleine erwtvormige plasjes licht. Ik vond het vreemd dat deze puntjes licht, die door de kieren in de bladeren van de *Wisteria* vielen, allemaal dezelfde vorm hadden. Toen ik opkeek, zag ik dat de lichtjes op onze terrasvloer exact dezelfde vorm hadden als de eclips.

We bekeken de vlekjes op de vloer goed en we zagen dat ze steeds dunner werden, net zoals de appel in de lucht steeds dunner werd. We kregen een soort weerkaatsing die tussen de gaatjes in onze *Wisteria*-bebladering door filterde. Toevallig had Robert een camera in de buurt, dus maakte hij een paar foto's. Gaandeweg, naarmate de zon smaller werd, namen de weerkaatsingen op de grond ook een sikkelvorm aan. Pas toen de zon weer aan de maan ontsnapte en aan de andere kant tevoorschijn kwam, ontdekten we nog iets anders: de weerkaatsingen op onze vloer waren omgedraaid! Toen de zon weer met de boog naar het oosten gericht verscheen, draaiden de miniboogjes op de vloer langzaam naar het westen. Eureka!

We beredeneerden – een beetje laat – dat onze pergolabladeren, vol heel kleine gaatjes, net zo hadden gewerkt als de oude camera obscura's van onze grootvaders. In plaats van een piepklein gaatje in een stuk karton te prikken en dit tussen een gloeilamp en een scherm te plaatsen, hadden wij een massa *Wisteria* gekweekt, met bladeren die fungeerden als een camera tussen de zon en de vloer. In beide gevallen waren de beelden door een optische wet omgekeerd.

Op het tv-scherm stond de beagle zich nog steeds voor iedereen van RAI uit te sloven. Andere beelden toonden Londen in een doods licht, terwijl Parijs daarentegen baadde in het zonlicht. We zetten de televisie uit en keken hoe de lichtvlekjes op ons terras steeds ronder werden, terwijl we wensten dat we meer van optische effecten wisten. De lucht begon weer normaal te worden.

De volgende dag zochten we alle kranten af om na te gaan of de eclips nog ongewone bijeffecten had gehad, vooral bij dieren. Maar het enige bericht dat we vonden kwam uit Engeland, waar een man, wiens postduiven tijdens de eclips waren gelost, vertelde dat ze helemaal de kluts kwijt waren geraakt en dat ze naar hun thuisbasis waren teruggekeerd zonder te proberen hun gebruikelijke koers te volgen. Amerikaanse postduifexperts hebben al lang geleden gemeld dat de vogels af en toe, wanneer ze ze in de buurt van een sterke radiozender losten, eveneens in de war raakten.

Een week later kregen we bericht van een bevriende journalist in zuidelijk India, een ananaskweker, wichelroedeloper en onderzoeker van 'energiebronnen' diep in de aarde. Hij geloofde dat hij met behulp van dezelfde stok die zo succesvol wordt gebruikt om water onder de grond te vinden ook energiegolven van diepe ondergrondse bronnen of putten kon opsporen. Hij had veel belangrijke tempels in de drie provincies van Zuid-India – Karnataka, Tamil Nadu en Kerala – bekeken en hij was onveranderlijk tot de slotsom gekomen dat de tempels zich pal boven heel sterke energieopwellingen bevonden. Hij had eveneens ontdekt dat de grootste boom op zijn plantage in Moodbidri zich aan het ontvangende uiteinde bevond van ondergrondse energiestromen.

Bij de laatste twee zonsverduisteringen was hij voor dag en dauw opgestaan en langs zoveel mogelijk tempels geracet om die op hun gebruikelijke energiebronnen te testen. Tot zijn verbazing ontdekte hij dat gedurende beide eclipsen de energie was stopgezet.

'Betekent dit dat de energie die jij opspoort niet van binnen de aarde komt, maar van de zon?' vroeg ik hem per e-mail.

Hij antwoordde: 'Dat de energie gedurende een eclips is afgesneden kan erop wijzen dat de zon in de aarde doordringt en een speciale bron van energie in gang zet, die vervolgens in een stroom naar de oppervlakte komt. Dus zou het kunnen zijn dat als de zon bedekt wordt, de energiestroom wordt afgesneden.' Hij had ook nog andere ideeën; hij voert in Moodbidri nog steeds experimenten uit.

Nu ik toch twee encyclopedieën binnen handbereik had, zat ik tijdens de lunch op het terras nog wat dingen over dit onderwerp na te slaan. Na verloop van tijd ontdekte ik ook een paar onjuiste ideeën die ik over bollen had.

Ik had in die tijd drie soorten ongewone bloembollen: *Crinum*, gele *Calla* en *Amaryllis belladonna*, die het altijd heel slecht bij me hadden gedaan. Van de negen potten met *Crinum* in de kas van ons buitenhuis hadden er slechts vier in het vroege voorjaar gebloeid. De oplossing? Ik zocht alles wat ik over *Crinum* kon vinden, en één gids vertelde me (in heel kleine lettertjes) dat hoewel deze prachtige zalmkleurige lelies schaduwminnend heten te zijn en hun bladeren in direct zonlicht verbranden, ze in de winter wel veel zon nodig hebben om voor een goede bloei te zorgen. Daarom nam ik me voor de potten met *Crinum* naar de voorste rij in de kas te verschuiven, zodat ze winterzon kregen.

Maar wat nog erger was, ik had twee potten met zeldzame gele *Calla*, die ik een mevrouw in Quadroni had afgetroggeld. Hoewel de lelies ieder jaar in juli fraaie gevlekte bladeren omhoogstuurden, gaven ze me geen bloemen. Uiteindelijk vond ik een onopvallend artikeltje in de Amerikaanse encyclopedie dat zei dat *Calla's* niet zullen bloeien 'tenzij al het water geven wordt gestopt na hun bloei in augustus en ze de rest van de zomer rust hebben'. Geen voortplanting zonder zomerslaap. Ik besloot het water geven van de potten op het terras in Rome preciezer te hanteren.

Het mysterie van de niet-bloeiende *Amaryllis belladonna* werd niet opgelost door de encyclopedieën, maar door een maandelijks nummer van het tijdschrift van de Royal Horticultural Society. De belladonnalelie wordt in het Engels ook wel *Resurrection Lily* genoemd vanwege de vreemde gewoonte in het voorjaar mooie groene bladeren omhoog te sturen, die daarna verwelken en verdwijnen. De plant lijkt dood, maar hij doet maar alsof. Eind september komen de opvallend roze lelies zonder enig blad uit de grond tevoorschijn en vormen ze een bron van vreugde in de septembertuin. Ik had er veel van in de grote border in Canale geplant, maar ze bloeiden nooit, terwijl andere mensen die ik kende armenvol lelies plukten helemaal tot aan Thanksgiving Day.

Het tijdschrift vermeldde dat belladonnalelies alleen bloeien als ze de hele zomer helemaal geen water krijgen, of in elk geval niet vanaf het moment dat de bladeren afsterven tot de bloem tevoorschijn komt. Met andere woorden, om te bloeien moesten ze de hele zomer slapen, wat geen druppel water betekende. Dat verklaarde waarom vrienden ieder jaar zulke mooie bloemen hadden: ze kweekten de lelies in rotsachtige grond en vergaten ze maanden achtereen. Aangezien ik mijn bollen in de hoofdborder had geplant, kregen ze in het droge seizoen steeds water en kwamen ze niet aan hun broodnodige rust toe. Deze ontdekking maakte dat ik alle bollen die ik kon vinden opgroef zodra hun bladeren zichtbaar waren, en ze naar het terras in Rome bracht. Hier hoefde ik, om ze de hele zomer water te onthouden, alleen maar de druppelaar voor iedere pot eruit te halen. In september kreeg ik mijn verrukkelijke *Resurrection*-verrassing!

III

Circenses – Circustoestanden

Sport

–

Godsdienst

–

Bureaucratie

–

Politiek

In de loop der eeuwen heeft Italië zich gedragen als een knappe vrouw die door een reeks hebzuchtige en ambitieuze minnaars het hof is gemaakt. In de Oudheid hielden de Romeinse keizers haar in bedwang door haar op brood en spelen te trakteren. De pausen van de rooms-katholieke Kerk terroriseerden haar met dreigementen van hel en verdoemenis. Napoleon hield haar onder de knoet met zijn grote legermacht, en Mussolini heerste met parades, beloften en patriottische bombast. Eindelijk, aan het eind van de Tweede Wereldoorlog, toen Mussolini dood was en de koning in ballingschap verkeerde, leek het of het Italiaanse volk ten langen leste vrij zou zijn om een eigen vorm van democratie op te bouwen.

Maar het mocht niet zo zijn. Nog terwijl het eerste Italiaanse parlement worstelde om een grondwet te schrijven, nam de druk van buitenaf toe. Aan de ene kant probeerden de politici uit het Vaticaan weer greep te krijgen op de zielen van de door de oorlog uitgeputte bevolking, en aan de andere kant begonnen de twee landen die als overwinnaars uit de oorlog waren gekomen, het communistische Rusland en het kapitalistische Amerika, een campagne om een dominante plaats te veroveren in hart en hoofd van de Italiaanse kiezers. Er vloeiden grote hoeveelheden geld uit Moskou en Washington naar de Italiaanse schatkist, en de Italiaanse politici, die het anderen altijd graag naar de zin maakten, deden wat hun werd gezegd.

Deze touwtrekkerij in drie richtingen duurde meer dan zestig jaar, waardoor er een wankel evenwicht in de Italiaanse politiek werd geschapen. Maar na de instorting van het communisme en de gestage teruggang in de invloed vanuit het Vaticaan (vooral met betrekking tot gezinskwes-

ties als echtscheiding en abortus), veranderde de situatie uiteindelijk radi-
caal. De winnaar in deze krachtmeting bleek Amerika te zijn, met alle
toewijding aan een onstuimige financiële groei, uitbreidende wereldmark-
ten en een hedonistische consumptie. De twee morele principes die de gewo-
ne Italianen generatieslang hebben beziggehouden – de linkse drang naar
sociale rechtvaardigheid en de Vaticaanse roep om christelijke gehoor-
zaamheid – verdwenen en maakten plaats voor een keiharde toewijding
aan materieel gewin (doordrongen, hoopte men, van eerbied voor de de-
mocratische principes en de Rechten van de Mens).

De televisie speelde een belangrijke rol bij deze drastische verschuiving,
omdat dit apparaat op overweldigende wijze binnendrong in een nagenoeg
feodale maatschappij waarvan bijna de helft van de burgers in het Zuiden
analfabeet was. Zelfs vandaag de dag leest slechts één op de acht Italianen
een krant. Dit betekent dat zeven van de acht burgers nu al het nieuws en
bijna alle vermaak via de televisie krijgen. De kijkbuis is hun nieuwe al-
taar geworden en de gezichten op het scherm worden hun priesters, hun
godinnen, hun leermeesters en hun biechtvaders. De televisie vertelt de
Italianen wie ze moeten gehoorzamen, wat ze moeten kopen, hoe ze ge-
zond moeten blijven en hoe ze hun seksleven kunnen verbeteren. De tele-
visie verslaat eveneens met leedvermaak het eindeloze geharrewar tussen
Italiaanse politici en heeft het complexe Italiaanse politieke toneel in een
groot circus veranderd.

Het gevolg is dat tegenwoordig de meeste Italianen de politiek beschou-
wen als iets om naar te kijken. Ze zijn toeschouwers geworden in het poli-
tieke theater in plaats van deelnemers eraan. Ze haten politici en nemen
niet langer de moeite te stemmen.

Deze afhankelijkheid van de televisie heeft nog een ander negatief effect
gehad op de politieke ontwikkeling van het land. Zoals de dingen nu zijn
georganiseerd, kunnen rijke Italianen, als ze politieke steun hebben, tele-
visiestations opkopen en die voor politieke doeleinden gebruiken. Signor
Berlusconi beheerst op dit moment meer dan 95 procent van de tv-stations.
Dus wanneer zijn opponenten protestbetogingen tegen hem organiseren,
zorgt hij ervoor dat er geen tv-camera's in de buurt zijn om deze gebeur-
tenissen te verslaan. Hij besteedt zijn zendtijd liever aan advertenties voor
hondenkoekjes of damesslipjes, artikelen die hem tot de rijkste man van
Italië hebben gemaakt.

Het priemende oog van de camera heeft ook een nieuw, scherp licht ge-

worpen op andere Italiaanse activiteiten, met name op het gebied van sport en godsdienst, tot ook die zijn verworden tot enorme spektakels waar dagelijks hele massa's zwijgende kijkers naar staren. De grootste verandering heeft zich misschien wel voorgedaan in de voetbalwereld, waar de televisie het spel eerst heeft opgepompt tot het zo ongeveer een nationale religie werd. Daarna, toen de kijkcijfers tot gigantische hoogten stegen, verkochten de grote clubs exclusieve uitzendrechten voor duizelingwekkende bedragen aan televisiestations. De Italiaanse voetbalclubs werden rijk, de salarissen van de spelers groeiden tot in de hemel. Hierna kwam – wellicht onvermijdelijk – de klap. De publieke belangstelling taande en de kijkcijfers daalden. De sportzenders die erop hadden gerekend ieder jaar meer voetbalprogramma's te verkopen, verkochten minder en begonnen verlies te maken. De voetbalclubs balanceerden op de rand van een bankroet. De Italiaanse nationale ploeg, waarin steenrijke voetbalberoemdheden speelden, ging bij het WK in het voorjaar van 2002 plat op zijn gezicht. Iedereen gaf het tv-geld de schuld van dit debacle.

Het behoeft geen betoog dat godsdienst ook iets circusachtigs heeft gekregen. De eerste godsdienstige figuur in de geschiedenis die een miljoen mensen op een Romeinse piazza bijeen wist te krijgen was de grootste televisiepaus aller tijden, paus Johannes Paulus II. Toen hij tijdens het recente jubeljaar in de zomer een recordaantal jongeren voor een liefdesfeest dat de hele dag duurde op een universiteitscampus op de been had, haastten de verbijsterde Italiaanse politici zich om zich bij hem op het podium te voegen, in de hoop dat iets van de glorie ook op hen af zou stralen. Een enkele criticus waagde het erop te wijzen dat terwijl de piazza's vol waren, de kerken leeg waren en de roepingen voor het priesterschap tot een historisch dieptepunt waren gedaald.

De veel bekritiseerde bureaucratie van Rome heeft er altijd voor gekozen op de achtergrond te blijven, maar de leden ervan voeren in de uithoeken een soort doorlopend theater op dat ervoor zorgt dat de Italianen beurtelings moeten kreunen en giechelen. Onderzoekende tv-reporters leveren regelmatig commentaar op de grove blunders die ambtenaren begaan. Zo onthulde een zender in juli 2002 dat, hoewel er officieel 60.000 gehandicapten in de stad waren, de gemeente Rome 125.000 invalidenparkeerkaarten had uitgegeven. Op de Via del Babuino verbaast iedereen zich over een opvallende gele Ferrari die iedere dag de hele dag in een verboden-te-parkeren zone staat, met een invalidenparkeerkaart achter de

*voorruit. De chauffeur, een knappe jongeman, gezond van lijf en leden,
werd door journalisten belaagd, maar hij weigerde te onthullen waar hij
zijn vergunning vandaan had. Het Romeinse publiek juicht handige jongens en paljassen altijd toe, zelfs als het beruchte oplichters zijn.*

16

Een bezoek van Betty Friedan

EEN VAN DE TREURIGST STEMMENDE SPEKTAKELS OP DE ITA-
liaanse televisie is de snaterende groep aanstellerig glimlachende
danseressen, gekleed in minimale bikini's, die in alle quizprogram-
ma's en revues verschijnen. Ze zijn onveranderlijk te gast bij een
dikke, kalende man van tegen de vijfenzestig. De meisjes trippelen
de trap af om deze heer met schrille vreugdekreetjes te begroeten
en gaan daarna zo dicht mogelijk bij hem staan. Ze maken duidelijk
dat ze een en al aanbidding voor hem zijn. De gezette presentator
omarmt zoveel van de bijna-naakten als hij maar kan en werpt het
publiek vervolgens veelbetekenende blikken toe. Hij lijkt te zeggen:
'Ik kan er ook niks aan doen. Ze vinden me onweerstaanbaar.' Daarna stellen de meisjes, die kunnen zingen noch dansen, zich in een
rommelige rij op, met de borsten naar voren, en doen twee stappen
naar links en twee stappen naar rechts, om vervolgens energiek met
hun bekken te stoten en te draaien. Daarna groeperen ze zich onder
overweldigend applaus achter de presentator, waarbij ze zich ver-
dringen om de beste positie voor de camera te krijgen.

Een ervaren Britse criticus riep toen hij deze ramp zag: 'Italië is
het land dat door het feminisme is vergeten.'

Maar op dit punt heeft hij niet helemaal gelijk. Want de vrouwenbeweging heeft Italië al jaren geleden met een grote klap geraakt en de enige reden dat dit niet algemener bekend is, is dat het
feminisme, net als bijna alle Italiaanse bewegingen, in een tiental
ruziënde groepen uiteen is gevallen zodat er tegenover de buitenwereld niet één lijn kan worden getrokken.

Maar laat u niet misleiden. Want voor iedere melige danseres in haar karige kostuum zijn er drie of vier intelligente jongedames in goedzittende broekpakken druk bezig een serieus tijdschrift uit te geven of een bedrijf te leiden. En er zijn ook drie of vier jongedames, gekleed in spijkerbroek en gewatteerd jack, die voor dag en dauw de straten vegen of die de bussen besturen. Je kunt misschien beter zeggen dat het feminisme niet alleen in Italië gearriveerd is, maar dat het ook zo geaccepteerd is in het dagelijks leven dat de meeste mensen er niet eens meer bij stilstaan.

De zaken stonden er nog anders vòòr toen de grondlegger van de vrouwenbeweging, Betty Friedan, in Rome een lezing kwam houden, kort nadat haar boek *De mystieke vrouw* een wereldwijde bestseller was geworden. Ik ben een oude vriendin van Betty, en ik was bij haar lezing aanwezig. Ik kende haar van Smith College en ik vond haar de briljantste studente die er was. Ze werd in haar derde jaar in de oudste academische broederschap in de Verenigde Staten, de Phi Beta Kappa Society, gekozen, wat een grote zeldzaamheid is. Ik was slechts een matige student, maar op de een of andere manier accepteerde Betty me.

Toen ik hoofdredacteur van de krant van Smith College werd en aan de strijd begon om Smith los te rukken van alle Edwardiaanse ankers, werd Betty mijn meest effectieve assistent-redacteur. Na mijn afstuderen werd Betty hoofdredacteur, en het deed me plezier te horen dat ze het bestuur van het Smith nog meer problemen gaf dan ik had gedaan. Toen Betty het college verliet, schreef ze artikelen voor een aantal tijdschriften en kwam ze een paar keer bij ons in Rome op bezoek. De volgende keer dat ik van haar hoorde had *De mystieke vrouw* haar beroemd gemaakt en belde ze me vanuit New York om over de lezing te vertellen. Ik nodigde haar uit bij ons te logeren en we spraken af elkaar in het Eliseo-theater te ontmoeten.

Ik had niet verwacht dat het me enige moeite zou kosten om haar op te sporen, maar toen ik in het theater kwam, heerste daar een groot tumult. Het meeste lawaai en rumoer kwam van de middelste rijen voor het toneel, die waren ingenomen door een grote delegatie jonge vrouwelijke communisten, die gemakkelijk te herkennen waren aan hun gerafelde spijkerbroek en onderhoudsarme kapsel, en enkelen van hen zwaaiden met spandoeken: *Viva l'Aborto!* Hun luidruchtige protesten hadden de toorn gewekt van een andere groep aan de rechterkant van het theater. De vrouwen waren gekleed in chique tweedmantelpakjes en hadden echte parels om – kennelijk christen-democraten – en ze hielden met de hand geschreven bordjes omhoog met *Aborto è Omicidio* en *La Famiglia è Sacra*.

Ik was verbijsterd. Vanwaar al deze woede, deze strijdlust? Je zou toch denken dat de vrouwenbeweging de vrouwen van Italië eindelijk zou hebben verenigd om hun gemeenschappelijke vijand te bestrijden, de Italiaanse man? Ze hadden nu toch eens deel kunnen nemen aan een beweging die iets aan hun tweederangsstatus binnen de Italiaanse maatschappij zou veranderen? Maar in plaats van de handen ineen te slaan en het tegen hun verdrukkers op te nemen, waren ze alweer verdeeld geraakt en begonnen ze elkaar te bestrijden. Dat is typisch Italië: het doet er niet toe wat de kwestie is – vrede of gelijkheid of dierenrechten –, iedere Italiaanse groep heeft een eigen agenda. Samenwerking is geen sterk punt.

En hoe zat het met de ware vijand, de man? Ik had lang de indruk gehad dat er geen land in de ontwikkelde wereld was waar vrouwen meer terechte klachten hadden dan in Italië. Ik had hetzelfde refrein gehoord van bijna al mijn getrouwde Italiaanse vriendinnen: 'Ik moet iedere morgen vroeg opstaan om zijn ontbijt klaar te maken, en ik moet ervoor zorgen dat hij elke dag een gestreken overhemd heeft. Hij rijdt in de Alfa Romeo, ik krijg de afgedankte Fiat. Hij heeft een vette bankrekening die alleen op zijn naam staat, en ik krijg één keer per week een armzalige toelage. Maar er schijnt nooit geld voor iets extra's te zijn. Ik verdenk hem ervan dat hij heimelijk gokt, of dat hij een andere vrouw heeft. Als hij thuiskomt voor de lunch wil hij een uitgebreide warme maaltijd met pasta, een groot hoofdgerecht en daarna een dessert. Als het warm is, gooit hij zijn overhemd op de vloer voor de was en loopt hij naar de *armadio* om een schoon te pakken. Als hij een avondje met zijn vrienden naar de stad wil, belt hij me niet eens.'

Dus waarom kibbelden die vrouwen zo met elkaar? Ik kan alleen maar bedenken dat Italianen generatieslang karrenvrachten vooroordelen met de paplepel ingegoten hebben gekregen. De Florentijnen vertrouwen de Romeinen niet, de noorderlingen kijken neer op de zuiderlingen, en de landeigenaren wantrouwen hun pachters. Mensen die in Parioli, in het centrum van Rome, wonen, kijken neer op de massa's die in de buitenwijken wonen. De communisten wantrouwen de christen-democraten. Zelfs de mensen uit Calabria, die ooit naar een ongastvrij Milaan migreerden om werk te zoeken en nu in het Noorden zijn geworteld, beschuldigen de nieuwe immigranten uit Turkije of Albanië ervan hun baan af te pikken door met minder loon genoegen te nemen. Dit heeft tot gevolg dat samenwerking tussen die groepen nog steeds heel moeilijk te bereiken is. De Italianen zijn bang dat ze als ze samenwerken op de een of andere manier hun macht zullen verliezen – en daarmee hun moeizaam verworven plaats in de sociale hiërarchie.

Op dit punt in mijn overpeinzingen ontstond er beweging op het toneel en kwamen er drie vrouwen naar voren: de voorzitter van de bijeenkomst, een elegante Italiaanse gastvrouw in een tweedmantelpak; een tolk in een mooi Armani-pak; en mijn oude vriendin Betty in een leuke blauwe kaftan. Betty leek een beetje beduusd door alle lawaai en tumult in het publiek. De voorzitter stond op, tikte scherp op haar flesje mineraalwater en begon toen in het Italiaans een kort overzicht te geven van het programma van die middag. Het geroezemoes in het publiek werd niet minder. De tolk stond toen op om de speech in het Engels te vertalen, maar ze had nog maar een paar zinnen gesproken of de communistische vrouwen begonnen harder te gillen dan ooit. Sommigen sprongen overeind en zwaaiden met hun vuist naar de in Armani gehulde tolk.

'Weg met de tolk, weg met de tolk!' riepen ze in koor.

De tolk keek zowel beledigd als verbaasd. Ze was er niet aan gewend van het toneel te worden gejouwd.

De voorzitter stapte naar voren en probeerde de gemoederen tot bedaren te brengen. 'Ik weet niet wat het probleem is,' zei ze in het Italiaans, met de zachte *r* die in het Noorden in de mode is. 'Dit is een van de beste tolken die we in Rome hebben. Ze werkt voor radio en televisie, en ze heeft een diploma om plenaire zittingen van de Verenigde Naties te tolken.'

De communistische vrouwen verhieven hun stem en sommigen begaven zich op dreigende wijze naar het toneel.

'We willen haar niet,' riep een vrouw in het Italiaans. 'Ze is rechts, ze is van de christen-democraten. Het feminisme is geen christen-democratische beweging. De beweging is in Rusland opgezet door Emma Goldman, en we willen niet dat die fascisten van Italiaans rechts ermee aan de haal gaan.'

Op dit punt stond Betty op om een paar woorden met de voorzitter te wisselen. Toen sprak ze het publiek toe.

'Als u nu allemaal wat wilt kalmeren,' zei ze met haar beroemde rauwe stem met Peoria-accent. 'Ik hoor dat sommigen van u niet instemmen met de tolk die vandaag hier is. Ik heb deze vrouw niet uitgezocht en ik heb geen bezwaar tegen haar. Maar als u iemand anders wilt,' – ze keek een beetje verbaasd om zich heen – 'dan zie ik geen reden waarom ze niet kan worden vervangen.'

Deze opmerking, in het Engels, leidde ertoe dat de vrouwen uit Parioli overeind sprongen en met hun armen begonnen te zwaaien.

'Nee, nee, nee,' riepen ze in het Engels. 'De tolk mag niet worden vervangen. Ze is de beste tolk van heel Rome.'

Dit veroorzaakte een nieuwe uitbarsting van de vrouwen in het midden, en toen het kabaal heviger werd, leunde een vrouw vanaf het eerste balkon naar voren om uit te leggen dat zij lid was van de radicale partij en dat ze zo'n grote bewondering voor La Friedan had dat ze graag de rol van tolk wilde overnemen. Haar vriendelijke aanbod werd door beide partijen weggehoond.

Betty overzag het strijdtoneel en pakte de microfoon weer.

'Ik vraag me af of een zekere Joan Marble in het theater is. Ze is een oude vriendin van me. Ze heeft lang in Rome gewoond en spreekt goed Italiaans…'

Ik schrok me lam. Als er één ding was waar ik geen zin in had, dan was het wel proberen de woorden van mijn oude vriendin voor dit publiek van krijsende feeksen te vertalen. Spreken in het openbaar is niets voor mij. Maar ik hoefde me niet ongerust te maken, want er ging een golf van boegeroep door het theater – niemand wilde dat een oude vriendin van Betty zou tolken. Daarom kwam ik overeind en deed een zwakke poging mijn aanwezigheid kenbaar te maken. Maar niemand zag me, omdat de helft van de vrouwen in het publiek ook was gaan staan.

Terwijl ik stond te aarzelen, werd ik me ervan bewust dat er nog iets anders op het toneel gebeurde. Een knappe, blonde Amerikaanse probeerde vanaf de voorste rij op het podium te klimmen. Betty greep haar kaftan bijeen en schoot naar voren om haar de helpende hand te reiken, met het idee dat ze door mij was gestuurd. Toen ze eenmaal weer overeind stond, draaide de jongedame zich om, streek haar glanzende haar naar achteren en zwaaide vrolijk naar het publiek.

'Als u nu even rustig wilt doen, dames,' zei ze met een nadrukkelijk zuidelijk accent, 'dan zou ik me graag even willen voorstellen. Ik ben Lucretia Love, ik ben Amerikaanse en ik geloof stellig in de bevrijding van de vrouw.' Ze giechelde even en vervolgde: 'Ook al spreek ik geen vlekkeloos Italiaans, toch wil ik met alle genoegen Betty's speech vertalen, als u mij wilt hebben. Dat is beter dan de hele middag verdoen met schreeuwen.'

Vervolgens vertaalde ze haar korte toespraak in eenvoudig Italiaans. De communisten, vermoed ik, besloten Lucretia te accepteren omdat ze duidelijk geen zelfzuchtige motieven had. Ze was leuk om naar te kijken en haar onbeholpen Italiaans maakte dat iedereen zich superieur voelde. (Een jonge Amerikaanse journaliste, die in Italiaanse talkshows optrad, vertelde me ooit dat de producer haar had gewaarschuwd dat ze als haar Italiaans te goed werd zou worden vervangen. Hij vertelde haar ook dat ze meer zendtijd zou krijgen als ze een minirok droeg in plaats van een spijkerbroek en een jasje.)

De christen-democratische dames werden ook stil. Naar Lucretia kijken, die een innemende glimlach had en duidelijk geen undercoveragent uit Moskou was, zou veel leuker zijn dan de hele middag naar een hese Amerikaanse te moeten luisteren, met verhalen over geboortebeperking en abortus en vrouwen die de keuken uit moesten.

De lezing verliep op een wat onsamenhangende manier, met Betty die haar toespraak met horten en stoten hield, omdat ze om de twee of drie minuten moest stoppen om de bal door te spelen naar Lucretia, die braaf haar best deed, maar haar woorden niet altijd even succesvol in het Italiaans vertaalde. Toen het voorbij was, klonk er wat rommelig applaus, en de dames gingen naar huis om hun echtgenoot te rapporteren dat die Amerikanen een puinhoop hadden gemaakt van de lezing over vrouwenemancipatie.

Zodra de zaal was leeggelopen, haastte ik me naar voren om mijn vriendin te zoeken. Op het toneel trof ik Lucretia, die een levendig gesprek voerde met een groepje Italianen, onder wie verscheidene jongemannen, die me eerder niet waren opgevallen. Ik brak er even doorheen om Lucretia te bedanken voor haar hulp en om haar uit te nodigen voor een feestje dat we over een uur voor Betty in ons appartement zouden geven.

Betty keek grimmig toen ik haar met haar zeven stuks bagage in een wachtende taxi hielp. 'Goddank! Wat een puinzooi,' gromde ze. 'Die verdraaide vrouwen hadden me beloofd dat ze een uitstekende tolk hadden die meer over vrouwenemancipatie wist dan wie ook in Italië, en dan krijg ik zo'n circus over me heen. Ik heb nog nooit zoiets meegemaakt, zelfs niet in Tokio of Nairobi. Weet je wat ik nodig heb? De sterkste droge martini van de hele wereld.'

Ik had een aantal vrienden op het feestje uitgenodigd, onder wie enkele Italiaanse journalistes die oprecht bij de vrouwenbeweging betrokken waren, en ik ontdekte tot mijn opluchting dat de meeste gasten van de lezing hadden genoten. Sommige vrouwen wilden weten waar die knappe tolk vandaan was gekomen, en Betty en ik verklaarden allebei nadrukkelijk dat we haar nooit eerder hadden gezien.

Uiteindelijk verscheen Lucretia in eigen persoon, gekleed in een bekoorlijk lavendelblauw broekpak, en vergezeld door de twee jongemannen die in het theater met haar hadden staan praten.

'Ik ben erg blij dat ik erbij was en dat ik kon helpen,' zei ze tegen Betty. 'Ik ben altijd een voorvechtster van vrouwenemancipatie geweest, al vanaf dat ik een klein meisje in Carolina was.'

Daarna keek ze mij met een stralende glimlach aan. 'Weet u, deze lezing is voor mij belangrijk geweest,' zei ze. 'Ik ben naar Rome gekomen in de hoop een kans bij de film te krijgen, en de twee heren met wie ik hier ben zeiden dat ik echt charisma had. Ze gaan morgenochtend met me naar Cinecittà voor proefopnamen bij een zekere Tito Brass. Dat is een regisseur.'

Later vroeg ik een van de journalistes of zij iets wist over Tito Brass. 'Natuurlijk,' zei ze. 'Hij regisseert lowbudget-softpornofilms, het soort dat ze om drie uur 's nachts op de commerciële zenders uitzenden, als de *bambini* allemaal slapen.'

Het slot van het liedje was dat Lucretia inderdaad werk bij Tito Brass kreeg en een softpornoster in de Italiaanse bioscoop werd. De beweging voor vrouwenemancipatie heeft heel wat op zijn geweten.

17

Hoe een spel een circus wordt

IN HET VOORJAAR, ALS ONZE VERPLICHTINGEN ONS SOMS IN ROME houden, genieten we onze zondagse brunch buiten op het terras. Het geraas van het verkeer is verdwenen, het geschreeuw van werklieden is verstomd en de stad dommelt om ons heen in vrede en rust. De meeste inwoners zijn naar het strand of naar een sportwedstrijd gegaan. Wij zitten dan onder onze *Wisteria* te kijken naar de gierzwaluwen die patronen door de wolken snijden.

Maar op een gedenkwaardige middag een paar jaar geleden, toen we met Eugene Walter zaten te brunchen, schrokken we op door een luid gebrul dat uit onze kleine piazza opsteeg. We keken omhoog: alle ramen in ons gebouw waren dicht. We beseften dat het lawaai uit de open ramen van twee appartementen aan de overkant van het steegje, de Vicolo di San Biagio, kwam.

'Dat is een voetbalwedstrijd,' vertelde Eugene ons. 'Ze verkopen de *calcio*-wedstrijden nu via betaal-tv. De mensen die rijk genoeg zijn om zo'n kastje te kopen, nodigen hun hele familie uit om bij hen te komen kijken. Grootmoeders en ooms en kinderen en baby's – hele families zitten samen voetbal te kijken. Ze noemen het de nieuwe gezelligheid.'

Vanaf die dag maakte het voetbalgebrul deel uit van onze zondagse brunch. Om te weten te komen of de thuisclub aan de winnende hand was, hoefden we alleen maar te luisteren. Als we niets hoorden, wisten we dat de club uit Rome aan de verliezende hand was.

Maar dit was in vroeger dagen. De televisie heeft van voetballen een enorm commercieel circus gemaakt en een van de dubieuze verdiensten is het vermogen grote menigten op de been te brengen, niet alleen in de stadions, maar ook op de straten en piazza's. Ik kreeg een akelig voorgevoel toen ik op een avond in juni 2001 mijn televisie aanzette en de juichende fans van Roma hun overwinning zag vieren in het 'All Italy'-kampioenschap, hun eerste in zevenentwintig jaar. Ze hadden voor deze gebeurtenis het uitgestrekte terrein van het Circus Maximus uitgezocht, en de enorme arena, die de Romeinen ooit voor wagenrennen hadden gebruikt, was nu volledig gevuld met een menigte van meer dan een miljoen mensen – mannen, vrouwen en kinderen. De mensenmassa groeide aan vanaf de Tiber, helemaal over het circus, tot hij bijna de poort van het FAO-gebouw had bereikt – een aanzienlijke afstand. Aan één kant van de arena waren wat ongeregelde elementen door de hekken van de Palatijn gekomen en die klommen op de daken van de oude Romeinse ruïnes in de hoop een beter uitzicht te hebben.

De autoriteiten hadden een podium gebouwd voor een rockband, met een lang houten plankier dat de menigte in stak. Het hoogtepunt van de avond zou een 'striptease' zijn van de beroemde actrice Sabrina Ferille, die in een onbesuisd moment had beloofd volledig uit de kleren te zullen gaan als haar favoriete club, Roma, had gewonnen. Ik keek uit over deze mensenzee en voelde een huivering van angst: te veel mensen te dicht op elkaar zonder duidelijke vluchtroutes, en geen enkel teken van een georganiseerde politieaanwezigheid. Het was des te zorgwekkender omdat ik wist dat woeste Roma-fans de avond ervoor rellen hadden geschopt op de Via del Corso, waar ze met stenen hadden gegooid en winkelruiten hadden verbrijzeld.

Ik zette de televisie uit en ging verder met lezen. De volgende dag ontdekte ik dat de ongeregeldheden die ik had gevreesd zich niet hadden voorgedaan, hoewel er wat dronkaards boven op de Palatijn-ruïnes met geweld door de brandweer verwijderd hadden moeten worden. Sabrina, meldden de kranten, was op het plankier verschenen, gekleed in een vleeskleurige bikini, omringd door een schare dansers met een maillot aan, die ervoor zorgden dat de fans niet te dichtbij konden komen. Eén krant meldde dat Sabrina er 'doodsbang uitzag'.

Mijn persoonlijke reactie op voetbal, die zich ontwikkelde van volslagen onwetendheid tot nieuwsgierigheid en ten slotte tot desillusie, weerspiegelt, misschien in burleske vorm, de cyclus die deze sport in Italië heeft doorgemaakt. In het begin was alles wat ik over deze sport wist dat hij een beetje op mijn oude sport, hockey, leek. Onze ploeg had een spits en aan beide zijden twee vleugelspelers, gesteund door een verzameling halfbacks, vleugelverdedigers en een keeper.

Jaren geleden, toen ik voetbal in zwart-wit zag, had ik er de grootste moeite mee de spelers uit elkaar te houden, dus concentreerde ik me op de keepers, omdat die heel andere kledij aanhadden en de enige spelers waren die de bal met hun handen mochten vangen om hem dan veilig weg te gooien of te schoppen. De leukste keeper vond ik een slungelige jonge Florentijn die sprekend op Lorenzo dei Medici leek, behalve dat hij vierkante bakkebaarden had. Hij heette Zenga (misschien deelden ze de plaatsen wel op basis van het alfabet in en moest de laatste op de lijst keeper zijn).

Toen we ten slotte een kleurentelevisie hadden, kon ik de spelers iets beter uit elkaar houden, maar de gebeurtenis die mijn belangstelling werkelijk wekte, was de Wereld Cup van 1990, die in Italië werd gehouden. De voorbereidingen sloegen alles. In heel Italië waren duizenden arbeiders bezig om nieuwe stadions op te trekken en hotels, restaurants, wegen en vliegvelden op te knappen om de legers sportmensen en toeschouwers te kunnen herbergen. Er werden grasmat-experts uit Londen overgevlogen om ervoor te zorgen dat het gras op de nieuwe sportvelden even stevig werd als het gras op Wimbledon. Er werd haastig een nieuw station voor de *metropolitana* (ondergrondse) gebouwd aan het begin van de Via Cassia, ten noorden van Rome, om de spelers beter te kunnen vervoeren. Het station werd met een galabanket geopend, om meteen na de wedstrijden weer te worden gesloten en nooit meer te worden gebruikt. Er werd eveneens een splinternieuwe spoorlijn van het vliegveld bij Fiumicino naar Rome aangelegd, en er werd een schitterende terminal gebouwd om de binnenkomende bezoekers op te vangen. Maar de mensen hadden er op het vliegveld de grootste moeite mee in de trein te komen omdat het kaartjesloket meestal dicht was en de automaat kapot. Erger nog: de bezoekers ontdekten dat het, als ze eenmaal met al hun bagage de terminal hadden bereikt, bijna onmogelijk was een taxi te vinden. Eén verklaring – die nooit werd bevestigd – was dat de Romeinse taxichauffeurs de nieuwe terminal opzettelijk boycotten, omdat ze de passagiers liever van het vliegveld haalden, waar ze voor een eenvoudige rit naar Rome 100.000 lire konden vragen, met een toeslag voor de bagage. De terminal functioneerde anderhalf jaar slecht en werd toen stilletjes omgebouwd tot kunstgalerie. Ik heb me laten vertellen dat hij op dit moment als opvanghuis voor immigranten dienstdoet.

Omdat het WK van 1990 zo'n grootse gebeurtenis zou moeten worden, begon ik er wat meer aandacht aan te besteden. Waar ik het meest van genoot was het publiek. De Italiaanse toeschouwers hebben de participatie van het publiek verfijnd tot een kunst een opera waardig, en ze zijn bijna even actief als de spelers op het veld. Ze gaan staan om te schreeuwen, ze gaan zitten en ze deinen naar links en naar rechts. Ze slaan de handen ineen en zingen, ze knipperen met zaklantaarns, ze juichen, en het lawaai wordt luider en angstaanjagender naarmate de bal dichter bij het doel van de tegenpartij komt. Dit gebulder gaat vaak vergezeld van een laag en ritmisch geroffel dat klinkt als een Zoeloe-aanval op de Bloedrivier. Dit mogen misschien typische grappen van het Europese voetbalpubliek zijn, maar voetbalwedstrijden behoren ook tot de weinige gelegenheden waarbij ik grote groepen Italianen zich met gesynchroniseerde discipline heb zien bewegen.

Duitse voetbalsupporters, ontdekte ik, komen het liefst naar de wedstrijd met ontbloot bovenlijf, of verkleed, met een clownsgezicht en een rode neus. Hun specialiteit was tegelijk op en neer springen. De Engelsen, de algemeen gevreesde *hooligani inglesi*, waren niet zo erg als werd verwacht. Maar de Italiaanse autoriteiten namen geen enkel risico en stuurden alle Britse spelers naar Sardinië, waar men vermoedde dat de messentrekkende Sardinische *butteri* (veehoeders) hen wel voor hun rekening zouden nemen. Nadat ze ongeveer vijfenveertig opstandige Britse supporters naar huis hadden gestuurd, moesten de Italianen erkennen dat de meeste gevechten door de Sardiniërs waren veroorzaakt, niet door de Engelsen.

Voor mij waren de twee spannendste episodes de halve finales, de ene tussen Italië en Argentinië en de andere tussen Engeland en Duitsland. Beide wedstrijden eindigden in een *rigore*, waarbij vijf spelers van iedere partij een strafschop mogen nemen op een afstand van elf meter, met slechts een keeper om zijn doel te verdedigen. Dit moet voor die keeper wel het moeilijkste moment zijn, omdat hij van dichtbij wordt aangevallen, en niet één maar wel vijf keer. De Italiaanse verdediger in dit geval was mijn held Zenga met de vierkante bakkebaarden, die een dapper gevecht leverde door als een tijger heen en weer te lopen van de ene doelpaal naar de andere. Een voor een trapten ze tegen de bal en schoten hem rakelings langs de in de lucht springende Zenga. Hij had vijf kansen en hij miste ze allemaal. De Argentijnse keeper, Goycoechea, had meer geluk en hield twee strafschoppen tegen. Dus lag Italië eruit terwijl Argentinië naar de finale ging. Zenga zakte bij een doelpaal in elkaar en bleef minutenlang liggen, terwijl zijn ploeggenoten op hun knieën vielen en met hun hoofd op het gras sloegen.

De wedstrijd Engeland-Duitsland was weer iets heel anders. Alle pezige, snelle spelers uit Engeland, erop gebrand te laten zien dat niet alle Engelsen hooligans zijn, speelden een welgemanierde, beschaafde wedstrijd, en iedere keer dat er een Duitse speler onderuit werd gehaald, holden er drie Engelse spelers naar hem toe om hem op te rapen en de hand te schudden. Desalniettemin, ondanks al hun goede manieren, verloren de Engelsen de laatste *rigore*. Hun charmante aanvaller Waddell, die de laatste kans had op een gelijkmaker, schopte gewoon mis, en de bal zoefde ruim over het doel heen. Waddell, die als een van de beste spelers van de wedstrijd werd beschouwd, moest omdat hij psychisch instortte van het veld worden geleid. Na afloop gaven de Britten hun nederlaag opgewekt toe en hun coach glimlachte toen hij de hand drukte van zijn Duitse tegenstander. Hij was de eerste (en laatste) coach in de Cup die niet de scheidsrechter de schuld gaf van zijn nederlaag. Het resultaat was dat de Wereld Voetbal Federatie de Britten uitnodigde om na vijf jaren van afwezigheid nog eens in Europa te komen spelen.

De finale tussen Argentinië en Duitsland was een veel minder beschaafde aangelegenheid. De agressie en het vuile spel begonnen al toen het Italiaanse publiek luid boegeroep liet horen tijdens het Argentijnse volkslied (vanwege de ruwe manier van spelen van de Argentijnen tegen Italië in de halve finale). Argentinië werd zelfs nog ruwer tijdens de slotwedstrijd tegen Duitsland. De Mexicaanse scheidsrechter vond het welletjes en stuurde twee Argentijnse spelers het veld uit, terwijl Duitsland een beslissende strafschop werd toegekend. Aldus werd Duitsland winnaar van de Wereldbeker 1990. Carlos Menem, president van Argentinië, noemde de scheidsrechter meteen partijdig.

Maar zodra de wedstrijden waren afgelopen, gebeurde er iets geks. In de Studio Olimpico kwamen de terreinwerkers, altijd bedacht op de mogelijkheid iets extra's te verdienen, met spaden tevoorschijn en groeven het speciale gras dat op het veld was gekweekt met wortel en al uit, in stukjes van vijf bij vijf centimeter, en deden die in speciale plastic pakjes. Deze pakjes werden vervolgens aan belangstellenden bij wijze van souvenir verkocht, voor 10.000 lire per stuk. Zelfs op basisniveau was voetbal nooit alleen maar een spelletje geweest.

Deze commerciële ontwikkeling had veel met het televisiegeld te maken. In vroeger tijden versloegen de zenders de grote voetbalwedstrijden en lieten die gratis aan het publiek zien. Toen gingen de voetbalclubs geld vragen voor de exclusieve uitzendrechten en de televisiestations lieten op hun beurt het publiek betalen om te kijken. De clubs werden rijker en de televisiestations werden ambitieuzer.

Deze vercommercialisering was in 1990 al ver gevorderd, maar daarna liep het werkelijk de spuigaten uit. Zoals de *Observer* in mei 2000 schreef: 'In de afgelopen tien jaar zijn over het hele continent, iedere keer dat er over een contract voor de exclusieve rechten voor het via de televisie uitzenden van voetbalwedstrijden moest worden onderhandeld, de prijzen scherp gestegen, in sommige gevallen zelfs exponentieel. Dit patroon zette zich klaarblijkelijk tot in het oneindige voort, zozeer dat een voorzitter van een voetbalclub het uitzenden van wedstrijden beschreef als "een vergunning om geld te drukken".' De *Observer* voegde eraan toe dat in het seizoen 2001-2002 de gezamenlijke waarde van tv-contracten voor de grootste competitiewedstrijden een 'duizelingwekkende 1794 miljoen pond' was. Met het stijgen van deze bedragen is het televisiegeld voor veel Europese clubs de belangrijkste bron van inkomsten geworden.

Toen de clubs zoveel geld verdienden, werd de strijd om de ster-
voetballers ook hevig, en binnen een tiental jaren zijn de transferprijzen voor spelers met zo'n 340 procent gestegen. In 1996 be-
droegen de transferprijzen voor topspelers tussen de 15 en 16
miljoen pond per speler, een fenomenaal bedrag in die tijd. Vijf jaar
later waren die bedragen verdubbeld.

De spelers hebben dat ook doorgekregen en ze vragen steeds ho-
gere bedragen. Vlak na de Cup van 1990 verdiende een van de beste spelers van Engeland, Alan Hansen, 3000 pond per week. De
sterren van het voetbalcircus zijn nu multimiljonairs en de roddel-
journalisten behandelen hen als Hollywood-beroemdheden. Ze rijden in een Ferrari, nemen bodyguards en financiële adviseurs in
dienst, en velen van hen zijn getrouwd met tv-sterretjes of sexy fo-
tomodellen die vroeger hun neus ophaalden voor voetballers en
naar autocoureurs of tenniskampioenen lonkten.

Maar nu doemen er dreigende wolken aan de horizon op. Veel
Italiaanse clubs hebben te lang te goed geleefd, en ze komen opeens
tot de ontdekking dat de pot die al deze luxe extravagantie heeft betaald – het televisiegeld – minder wordt in plaats van meer. De reden is heel eenvoudig. De mensen houden nog steeds van voetbal,
maar ze zijn niet meer bereid gigantische bedragen neer te tellen
voor tweede- en derderangs wedstrijden. Het enthousiasme om
voetbalwedstrijden via pay-tv te volgen taant snel. Italiaanse televi-
siezenders die in 1999 royale vierjarige contracten met de clubs slo-
ten, in de verwachting dat ze miljarden zouden verdienen wanneer
het op voetbal verzotte publiek zich zou haasten om hun programma's te kopen, kwamen tot de ontdekking dat het publiek helemaal
niet zo happig was. Deze zenders staan op instorten. De fans willen
graag de beste wedstrijden en de beste spelers volgen, maar, zoals de
Observer zei: 'Sport die niet van de hoogste kwaliteit is, verkopen
voor de hoogste prijzen, is iets wat gewoon niet kan.'

Daarbij komt in Italië nog het probleem dat naar schatting zo'n 2
miljoen voetbalfans erin zijn geslaagd goedkope illegale versies te
kopen van de smartcard die nodig is voor de kanalen van pay-tv, zodat die de wedstrijden nu allemaal gratis zien. De enorme terugval
in tv-inkomsten heeft een verwoestend effect gehad op de grote Italiaanse clubs die in het seizoen van 2001 al zwaar in de rode cijfers

zaten. Zelfs oude clubs als Roma en Lazio spendeerden meer dan
100 procent van hun inkomsten aan de spelers en konden soms hun
salarissen niet meer betalen. De eens zo welvarende club Fiorentina stond voor een faillissement. De clubeigenaren breidden het seizoen uit om aldus meer wedstrijden aan het publiek te kunnen verkopen, en ze drongen aan op topprestaties van hun sterren. De
sterren, op hun beurt, werden meer blessuregevoelig. Ze waren
moe.

In de maanden voor het WK van 2002 probeerde de Italiaanse
pers het slechte nieuws een beetje te verhullen. De theorie was dat
de wedstrijden het enthousiasme van het publiek wel weer zouden
aanwakkeren. Er was ook de naïeve hoop dat als Italië de Wereldbeker won, het Italiaanse voetbal in veiliger vaarwater zou belan-
den.

Aangezien de wedstrijden voor de eerste keer in het Oosten zouden worden gehouden, waar prestige heel belangrijk is, wilden Japan en Zuid-Korea niet voor elkaar onderdoen in hun streven de
duurste, beste stadions ter wereld te bouwen. Japan gaf er 4 miljard
dollar aan uit, terwijl Zuid-Korea slechts 2 miljard uitgaf, elk aan
tien nieuwe stadions. Eén speelveld in Sapporo, Japan, had een
grasveld dat hydraulisch kon worden opgetild om het stadion binnen te worden gerold, klaar om te worden bespeeld. Veel experts
beweerden dat de twee landen alleen al failliet zouden gaan aan de
luxueuze constructies van de velden. Een Japanse schrijver legde uit
dat aangezien voetbal in Azië nog steeds een nieuwe en onbekende
sport is, 'het volstrekt onwaarschijnlijk is dat deze tribunes ooit vol
zullen zitten'. Maar de stadions vormden niet de enige bron van
verkwisting op dit voetbaltoneel. De hele gebeurtenis werd opgepompt door de media, de productstrategen, die dit het grootste
sportevenement ter wereld noemden. Het voetbalkampioenschap
was een wereldomvattend mediacircus geworden.

Wanneer in vroeger dagen de nationale ploeg naar het WK vertrok, waren er beelden te zien van de spelers die met hun koffers in
de bus stapten, op weg naar het vliegveld. In 2002 was het vertrek
naar Azië een luxueuze toestand. De miljonair annex aanvoerder
van de Engelse ploeg, David Beckham, en zijn ex-Spice Girl-vrouw
gaven een schitterend feest op het landgoed om afscheid te nemen

van hun vrienden. De Beckhams betaalden dit alles niet zelf. De grote merken van sportkleding en de roddelbladen namen alles voor hun rekening, in ruil voor de exclusieve rechten om het feest te filmen. Vervolgens werd de Britse ploeg met limousines naar Heathrow gereden om met een speciaal gecharterd vliegtuig naar Dubai te vertrekken, waar de spelers en hun gezin voorafgaand aan de wedstrijden van rust en ontspanning konden genieten in een van de meest exclusieve vakantiehotels ter wereld.

De Italiaanse ploeg sloeg Dubai over, maar de spelers kregen in Rome een overweldigend uitgeleide van zowel president Ciampi als premier Berlusconi. De spelers vlogen naar het Oosten met een gevolg dat passend zou zijn voor een Amerikaanse president of zelfs voor de paus. Een belangrijke Italiaanse aanvaller, Totti, werd vergezeld door zijn broer, zijn nichtje Giulia, een zwager en zijn verloofde. Volgens de berichten reisden sommige spelers niet alleen met hun manager, maar ook met hun persoonlijke financieel adviseur.

In Italië zelf lag voor de duur van de wedstrijden nagenoeg alles plat. Gelukkig was de zender RAI zo goed geweest de rechten voor het uitzenden van de wedstrijden te kopen, zodat het Italiaanse publiek in staat was alle grote wedstrijden gratis te zien. Ze keken in hun huis, hun club en ook in hun fabriek, waar op de werkvloer gigantische schermen waren geplaatst. Er werd beweerd dat de wedstrijden in verband met het televisiegeld vaak 's nachts in Azië werden gespeeld, zodat ze in Europa live rond lunchtijd konden worden uitgezonden.

Toen de eerste wedstrijd van de Italiaanse ploeg begon, waren de straten in het land verlaten en meldde RAI dat negen van de tien Italianen zaten te kijken. In de openingswedstrijd tegen Ecuador speelde geen van beide partijen goed, maar de Italianen wonnen zonder veel moeite.

In de tweede wedstrijd, tegen Kroatië, die de Italianen hadden moeten winnen, keurde een Deense grensrechter niet één, maar twee Italiaanse doelpunten af en dus verloren de Italianen. De schok en het ongeloof werden van de Dolomieten in het noorden tot in de zuidelijkste punt van Sicilië gevoeld. In de pers, in de ondergrondse en op straat waren de Italianen het erover eens dat ze waren bestolen. Sommige sportjournalisten begonnen iets over een complot te mompelen, waarbij ze lieten doorschemeren dat de voorzitter van de voetbalfederatie de scheidsrechters had opgedragen Italië extra streng te behandelen. Het idee was dat Zuid-Korea, medegastheer van de spelen en bouwer van schitterende stadions, een speciale behandeling moest krijgen.

Maar er waren columnisten die er anders over dachten. 'De Italianen spelen gewoon heel slecht,' schreef een verslaggever uit Milaan. 'Het zijn *uomini bolliti* [gekookte mannen].' De Italianen waren niet de enigen die het moeilijk hadden. Twee andere favorieten – Frankrijk en Argentinië – werden uitgeschakeld zonder de tweede ronde te bereiken. Frankrijk werd eruit geschopt door een obscure ploeg uit Denemarken; Argentinië, dat het in de eerste wedstrijden heel slecht had gedaan, bracht het er bij de Zweden niet beter van af dan met een gelijkspel en was aldus uitgeschakeld. Op foto's in de kranten was de Argentijnse snelle jongen, Batistuta, te zien op weg naar het vliegveld. Hij zag eruit als een man die met een spade een klap op zijn hoofd had gehad.

Wat was er toch met de grote voetbalclubs aan de hand? 'Te veel geld' scheen het algemene antwoord te zijn. 'Die supersterren uit Europa beginnen te rijk te worden. Ze denken helemaal niet meer aan voetballen, ze geven feesten en ze tellen hun geld,' zei iemand.

Italië kreeg nog een herkansing in de wedstrijd tegen Mexico. Toen de wedstrijd bijna afgelopen was, leidde Mexico met 1-0 en het zag ernaar uit dat Italië naar huis zou worden gestuurd, samen met Argentinië en Frankrijk. Maar in de allerlaatste minuut werd er een wisselspeler, Alex del Piero, het veld in gestuurd om zijn geluk te beproeven. Op wonderbaarlijke wijze slaagde hij erin een bal met zijn voorhoofd te raken en in het doel te plaatsen. De stand – 1-1 – verschafte het cruciale punt dat Italië nodig had om zich te plaatsen. Dit was het enige gelukkige moment dat de Italianen in het hele WK 2002 beleefden.

Toen Italië van Zuid-Korea had verloren, heerste er nog meer verontwaardiging: 'Italië heeft verloren in een *Mondiale Sporco* [smerig WK],' verkondigde de gematigde Milanese *Corriere della Sera*. 'We zijn bestolen door een samenzwering van scheidsrechters,' gilden de columnisten. Zelfs de Italiaanse president, die zijn woorden altijd zorgvuldig afweegt, verkondigde: 'Wij verdienden het te winnen.'

Slechts een paar buitenlandse sportjournalisten durfden een andere mening te uiten. Rob Hughes, de voorman van de Amerikaanse voetbaljournalisten, sprak de beschuldiging uit dat de Italianen niet sportief waren en 'een nederlaag niet op een fatsoenlijke manier konden accepteren'. George Vecsey, van de *New York Times*, schreef:

Europa heeft schande over zichzelf gebracht door het seizoen uit te breiden en zo de gapende muil van de kabelnetwerken over de hele wereld te vullen. Ze hebben het hele seizoen midweekse bekerwedstrijden gehad, en kampioenswedstrijden die tot in mei duurden.

Wil je weten waarom Zidane en Maldini en Figo deze maand allemaal voetbalden alsof ze op drijfzand liepen? Omdat de Europese bonden en clubbesturen zo inhalig zijn. Denk maar niet dat Silvio Berlusconi [eigenaar van AC Milaan] zichzelf verwijten maakt omdat zijn aanvoerder Maldini binnen de kortste keren oud is geworden. Het betekent gewoon meer geld op de bank voor Berlusconi.

Dit is uw samenzwering, sportvrienden. De Europese clubbesturen hebben geld verdiend met de dode benen, dode hersenen en dode nationale voetbalploegen.

Nu moeten de Italianen de problemen onder ogen zien. Eerst klopten ze de sport op tot een circus waarin eindeloos werd gespeeld en waarin onbeperkte winsten werden behaald, en nu, wanneer de rijke maar vermoeide spelers verslagen naar huis komen, zien ze hun hele wereld instorten. De geweldige voetbalclub Fiorentina van gisteren is na het WK van 2002 inderdaad failliet gegaan, en men neemt aan dat er nog meer zullen volgen. Middelmatige spelers worden ontslagen, goede spelers accepteren een achteruitgang in salaris. Er zijn zelfs sterren die uit eigen beweging hebben aangeboden met minder salaris genoegen te nemen. De clubeigenaren hebben het over inkomenslimieten. De mensen die van het spel houden zeggen dat het Italiaanse voetbal nooit meer hetzelfde zal zijn.

'We zijn allemaal verwend,' zei een coach. 'Wat we nu moeten doen is ophouden met geld uitgeven aan buitenlandse topvoetballers en eens bij de juniorenclubs gaan kijken hoe die jochies spelen. Dat zijn degenen die echt van voetballen houden. Iedere *ragazzino* in Italië groeit op met straatvoetbal. Die knulletjes kunnen misschien weer een sport maken van dit circus.'

18

Onze Borghese-paus

Uit de toespraak vanaf zijn doodsbed van paus Nicolaas V, 1455:
Wij willen dat Uwe Eminenties weten en begrijpen dat er twee belangrijke redenen waren voor onze bouwprojecten. Slechts zij die de oorsprong en de groei van de Kerk zijn gaan begrijpen doordat zij kennis der letteren hebben, beseffen dat het gezag van de rooms-katholieke Kerk het grootst en het machtigst is. De grote massa's andere mensen, die geen kennis der letteren hebben en er nooit door zijn aangeraakt, verliezen na verloop van tijd hun geloof... tenzij ze tot ontroering worden gebracht door bepaalde buitengewone schouwspelen.

De noodzaak tot pracht en praal is in de loop der geschiedenis een voortdurende zorg van de rooms-katholieke Kerk geweest. We zien dit nog steeds in de enorme openbare erediensten en de 'buitengewone schouwspelen' die deel uitmaken van de reizen van paus Johannes Paulus II en zijn gevolg. Het is aan de geschiedenis uit te maken hoe belangrijk deze opkomsten – die uitvoerig door de televisie worden verslagen – voor de Kerk zijn geweest.

Sinds kort heb ik belangstelling gekregen voor een andere paus die probeerde zich van zijn plaats in de geschiedenis te verzekeren, niet door te reizen, maar door 'grootse gebouwen' te laten neerzetten, om indruk op de grote massa te maken. Deze heer stond, voor hij in 1605 paus werd, bekend als kardinaal Camillo Borghese, en hij was eigenaar van ons paleis op de Piazza Borghese, waar hij voor zijn verkiezing waarschijnlijk een aantal jaren heeft gewoond. De beroemde

Tempesta-kaart uit 1592 toont ons paleis opvallend aan één zijde van de piazza, met een groot vaandel dat jolig vanaf de *altana* op het dak wappert ten teken dat de eigenaar, kardinaal Borghese, aanwezig was.

Jarenlang hadden we geen flauw idee dat we in zoiets deftigs als een echt kardinaalspaleis woonden, maar een vriendin die renaissance-kunst doceert, ontdekte dat ons gebouw speciaal was opgetrokken om onderdak te bieden aan 'een prins van de Kerk'. Kardinaalspalei-zen, vertelde ze ons, hebben altijd een imposant balkon boven de hoofddeur, zodat Zijne Eminentie regelmatig op heilige dagen te-voorschijn kon komen om de menigten te zegenen. (Mussolini keek dit kunstje van het Vaticaan af en sprak ook vaak vanaf balkons.)

Een andere opvallende eigenschap van ons gebouw is een grote in-gang op straatniveau, breed genoeg om de koets van een kardinaal binnen te laten. Recht ertegenover, in het gebouw, bevindt zich een royale marmeren trap die de kardinaal en zijn gevolg konden gebrui-ken om de eerbiedwaardige grote zalen op de eerste verdieping te be-reiken. Hogerop, op de minder eerbiedwaardige tweede en derde verdieping, waar ons appartement is gesitueerd, waren kamers voor het gevolg van de kardinaal, zoals dichters, musici en geleerden, en helemaal bovenin (koud in de winter en warm in de zomer) waren ta-melijk krappe zolderkamertjes voor het huishoudelijk personeel, dat voortdurend over de buitentrappen heen en weer moest lopen om hun meester te dienen.

Ons is verteld dat ons palazzo wellicht een ideale tussenstop is ge-weest in Camillo Borgheses klim naar het pausdom, een rol die hem niet alleen bisschop van Rome zou maken, maar ook het hoofd van het christendom en heerser over de Kerkelijke Staat. Want terwijl hij druk bezig was ons palazzo aan de ene kant van de piazza in te rich-ten, was hij aan de overkant al bezig een veel ambitieuzere en elegan-tere residentie te bouwen, met de bedoeling dat dit het geweldige Pa-lazzo Borghese zou worden. Dit gebouw stelde ons kleine palazzo volledig in de schaduw, maar het was heel geschikt voor iemand die hoopte paus te worden.

Het grote Palazzo Borghese is zelfs vandaag de dag het belangrijk-ste gebouw in ons deel van het centrum van Rome. Het biedt onder-dak aan illustere bewoners: een paar excentrieke Borghese-prinsen; de ambassade van Spanje; Checci Gori, de voormalige eigenaar van de failliete voetbalclub Fiorentina; en het hoofdkwartier van de meest aristocratische club in de stad, *Il Circolo della Caccia* (de jachtclub), waarvan alleen mensen met blauw bloed in hun aderen ooit kunnen dromen lid te worden.

De kardinaal hechtte veel belang aan zijn grote palazzo en zodra hij in 1605 paus Paulus V werd, besteedde hij al zijn energie aan het versnellen van de bouw ervan, zodat hij zijn uitgebreide familie erin kon huisvesten. Onder de verwanten die hij uit Siena naar Rome meebracht bevonden zich zijn broer, met vrouw en zoon, en zijn zuster met haar man en een zoon die Scipione Caraffelli heette. Op bevel van Paulus veranderde Scipione zijn naam van Caraffelli in Borghese, en binnen drie maanden werd hij verheven in de positie van kardinaal bij de Heilige Stoel, waar hij snel politieke, kerkelijke en financiële voorrechten kreeg. Gedurende zijn eerste jaar in het pauselijk paleis groeide Scipiones inkomen van 108.000 naar 189.000 scudi. Een van de snelste en zekerste manieren om in die dagen roem en fortuin te vergaren was een favoriete oom te hebben die paus werd. Het was een spelletje dat nepotisme heet.

Het was misschien een klein probleem met de accreditatie dat maakte dat Paulus zo snel mogelijk minstens zes familieleden uit Siena naar Rome haalde, want hoewel hij in Rome was geboren, was hij in Siena opgegroeid. Door zijn familie zo snel mogelijk naar een modieus nieuw palazzo in de hoofdstad te sturen, hoopte hij zichzelf in één klap te transformeren tot een in-en-in Romeinse paus, die overliep van goede wil jegens zijn geboortestad. Zijn manoeuvre had succes. Tegen het eind van zijn heerschappij had Paulus zijn reputatie gevestigd als een van de grote weldoeners van de stad en had hij tevens de Borgheses uit Rome, een tamelijk bescheiden familie, even rijk en belangrijk gemaakt als de Colonna's of de Orsini's.

Hoe verklaarde hij zijn tegenstrijdige rollen als verrijker van zijn familie en weldoener van de burgers van de stad? Het antwoord is dat Paulus zich niet verwaardigde ook maar iets uit te leggen; hij zorgde er gewoon voor dat er goede dingen over hem werden gezegd en geschreven. Net als andere pausen voor hem gebruikte hij de media die hem ter beschikking stonden – munten, pamfletten, aanplakbiljetten, en vooral pauselijke gedenkpenningen – om op te scheppen over zijn goedertierenheid jegens de burgerij. De grote hoeveelheid penningen die gedurende zijn negentienjarige heerschappij zijn geslagen, laat zien hoe hij zijn imago oppoetste door zich uitsluitend te concentreren op zijn belangrijkste bijdragen aan het publieke welzijn, of door de nadruk te leggen op het goede en het negatieve te verdoezelen.

De gedenkpenningen van Paulus laten zijn hoofd en profil zien, met aan de achterzijde een vermelding van zijn goede werken. Het profiel toont een forse en knappe man, met een vastberaden kin, die nog duidelijker uitkwam door de puntige baard. Op de meeste penningen poseert de paus als bisschop van Rome met een geborduurde cape, maar op enkele, waarop hij de loftrompet steekt over zijn beste werken, probeert hij zo bescheiden mogelijk over te komen, zonder pracht en praal, door slechts een eenvoudige monnikspij met kap te dragen.

Pas toen ik het leven en de lotgevallen van Paulus bestudeerde (zoals ze op de penningen zijn vermeld) besefte ik dat hij een man was die een ongepaste haast had gehad. In de eerste week van zijn langdurige heerschappij dreef hij zijn aannemers op om het werk aan het Palazzo Borghese te voltooien. Tegelijkertijd gaf hij opdracht tot reconstructie van een aantal openbare gebouwen, van de Sint-Pieter tot het Vaticaan, het Quirinale-paleis en de Basiliek van Santa Maria Maggiore. Toen hij in triomf binnenreed om zijn pauselijke tiara te ontvangen, kon worden gezegd dat hij onder één arm een grote rol bouwtekeningen droeg, met de bedoeling het gezicht van Rome te veranderen, en – niet toevallig – de economische en sociale positie van de familie Borghese flink te bevorderen.

Het Palazzo Borghese stond als eerste op zijn lijst, maar de Sint-Pieter kwam onmiddellijk daarna. In de eerste maand van zijn pausschap stelde hij een commissie in om te beslissen over de nieuwe Sint-Pieter-basiliek, waarvan de bouw zich al bijna honderd jaar voortsleepte. Ruziënde pausen en architecten waren het erover eens geweest dat de oude christelijke basiliek moest verdwijnen, maar ze konden niet tot een gedegen besluit komen hoe de nieuwe kerk moest worden gebouwd. In 1504 had paus Julius geprobeerd de zaak vlot te trekken door Bramante erbij te halen. Deze brak de oude kerk af en begon met de bouw van een nieuwe. Naar mijn mening was Bramantes ontwerp, zoals dat op een gedenkpenning van Julius II uit

1506 te zien is, met een grote klokkentoren aan weerszijden van de koepel, veel sierlijker en minder streng dan het uiteindelijke ontwerp. Maar Bramantes werk sukkelde jarenlang verder en werd maar voor de helft voltooid. In 1546 gaf paus Paulus III, die het werk graag wilde afmaken, Michelangelo opdracht een plan te maken voor de voltooiing van het gebouw. Hij wijzigde het eerdere ontwerp radicaal en verklaarde dat de nieuwe koepel en de gevel gebaseerd moesten zijn op het Pantheon en niet op Bramantes tekeningen. Helaas stierf Michelangelo in 1564, zodat de Sint-Pieter nog steeds half voltooid en zonder koepel bleef.

Tegen de tijd dat Paulus V op de troon kwam, was er een hele generatie Romeinen die de Sint-Pieter nooit met dak had gezien. Slechts dertig dagen na zijn verkiezing benoemde Paulus een comité van kardinalen om de laatste belissingen te nemen over de vorm van het nieuwe gebouw, vooral wat betreft de gevel. Maar de kardinalen konden het niet eens worden, dus nam Paulus het besluit zelf. Hij gaf opdracht onmiddellijk te beginnen aan een nieuwe gevel, gebaseerd op het ontwerp van Michelangelo. Een jaar later gaf hij de eerste gedenkpenning uit ter ere van het feit dat de nieuwe Sint-Pieter een koepel en een gevel had gekregen. De verbijsterde kardinalen beseften dat Paulus hun te snel af was geweest. Uiteindelijk, om zelf geen *brutta figura* te slaan, accepteerden ze de nieuwe kerk die volgens de specificaties van Michelangelo was gebouwd.

Teneinde er zeker van te zijn dat hij om zijn besluit zou worden herdacht, bestelde Paulus een praalzieke opdracht die in grote gouden letters over de nieuwe gevel moest worden gegraveerd: PAULUS BORGHESIS ROMANUS. Door zijn eigen naam in kapitalen op het nieuwe gebouw te zetten, net als de Romeinse keizers dat vroeger deden, en zijn Romeinse referenties te benadrukken, leek Paulus de Sint-Pieter volledig op zijn eigen naam te willen zetten, terwijl er in werkelijkheid honderd jaren en duizenden arbeiders, architecten en kerkgangers voor nodig waren geweest om dit voor elkaar te krijgen.

Maar de Sint-Pieter was nog slechts het eerste – en opvallendste – bouwproject van Paulus. Op 25 juni 1605, slechts eenentwintig dagen na zijn komst naar het Vaticaan, maakte hij ook plannen om zijn eigen grafkapel in de gigantische kerk van Santa Maria Maggiore in het centrum van Rome te bouwen en te verfraaien. Met het oog op de onzekerheden van dit leven had Paulus haast om de kapel gebouwd te krijgen. De plannen van zijn architecten waren in augustus 1605 gereed, en hij legde persoonlijk de eerste steen en gaf aan het eind van hetzelfde jaar een penning uit met daarop een vroege versie van zijn Cappella Paolina, die veel leek op de kapel aan de andere kant, die door Sixtus was gebouwd. In de volgende twee jaar gaf hij nog eens twee penningen uit, waarop de voortgang van het werk aan de kapel werd getoond. Beide penningen tonen timmerlieden en metselaars die druk op de muren van het nieuwe gebouw bezig zijn.

Een derde project waar Paulus V tijd voor vrij wist te maken om aan te pakken, slechts zevenendertig dagen na zijn inhuldiging, betrof het Quirinale-paleis, boven op de luchtige Quirinale-heuvel, met prachtige tuinen en een schitterend uitzicht over Rome. Veel pausen brachten de zomers liever in het Quirinale door, omdat daar meer wind stond dan in het lager gelegen Vaticaan, dat dicht bij de Tiber lag en waar het vaak warm en vol insecten was.

Vóór de verbouwing was het Quirinale een aardige landelijke villa, maar het moest enorm worden uitgebreid en geschikt worden gemaakt voor de winter, voordat het de grootsheid kon bieden die Paulus en zijn neef kardinaal Scipione Borghese verlangden. De verbeteringen die het tweetal aanbracht, maakten het gebouw bijna twee keer zo groot, waardoor het waarschijnlijk het grootste en elegantste van alle grote paleizen van Rome werd. De grote bals die Scipione in de nieuwe balzaal gaf vormden in de Romeinse society het gesprek van de dag.

De bouwkundige ambities van paus Paulus V waren niet ongewoon onder welgestelde en machtige Italianen. Zijn naamgenoot paus Paulus VI, die in 1593 was gekozen, werd door Vasari afgebeeld op een fresco terwijl hij druk bezig was bouwtekeningen voor al zijn vorstelijke projecten door te nemen. En een Italiaanse grootheid uit onze tijd, premier Berlusconi, die in 1994 voor het eerst werd gekozen, volgt deze traditie door miljoenen uit te geven aan onroerend goed in Rome, Milaan, Sardinië en de Bermuda's. Zijn favoriete villa is waarschijnlijk in Arcore, bij Milaan, waar hij ook zijn eigen faraonische grafkelder heeft gebouwd. Wat goede daden betreft heeft Berlusconi onlangs plannen onthuld om de langste brug van de wereld te bouwen. Deze moet het vasteland van Italië verbinden met het tegenstribbelende Sicilië, waar het water nu zo schaars is dat de mensen uit pure nood de straat op zijn gegaan om te protesteren. De Sicilianen verklaren dat ze veel meer behoefte aan water hebben dan aan die brug naar Calabrië.

Het Italiaanse gebrek aan water is niets nieuws. Paus Paulus V was zich er tijdens zijn heerschappij terdege van bewust dat het Vaticaan, de Borgo en Trastevere aan een ernstig watertekort leden. Om deze situatie te verhelpen herbouwde hij een aquaduct dat de toevoer moest vergroten. Met zijn gebruikelijke voortvarendheid kocht Paulus V van Virgilio Orsini (voor 2500 scudi) de rechten op de bronnen in de buurt van het Lago di Bracciano ten noorden van Rome. Zijn architecten begonnen vervolgens aan een project voor het herstel van het aquaduct dat was gebouwd onder keizer Trajanus, hoewel Paulus de naam Acqua Traiana in Acqua Paola veranderde.

Zijn eerste penning in 1609 ter gelegenheid van deze gebeurtenis toont het gebruikelijke profiel van Paulus, ditmaal gehuld in de pij van een eenvoudige bedelmonnik om zijn vroomheid te benadrukken, met aan de andere zijde een afbeelding van de Acqua Paola die het land doorsnijdt vanaf Bracciano naar de Porta di Pancrazio op de Gianicolo, waar de Acqua Paola-fontein nog steeds, twee verdiepingen hoog, staat en meer op een erepoort dan op een fontein lijkt. Slechts de grote hoeveelheden water die uit de drie kranen aan de voet stromen onthullen het ware doel ervan.

Er is geen twijfel over mogelijk dat deze nieuwe bron van water dat Rome binnenstroomde aanzienlijke verlichting bracht aan de mensen van Trastevere en de Borgo, maar het meeste profijt ervan had waarschijnlijk het Vaticaan. Toen het Acqua Paola-project eenmaal was voltooid, gaf Paulus V zijn architect Carlo Maderno opdracht in de Vaticaanse tuinen drie nieuwe fonteinen aan te leggen, met gebruikmaking van deze nieuwe toevoer. Hij had ook een nieuwe fontein gebouwd in het midden van het Sint-Pieter-plein, waar de hele wereld kan zien hoe er een geweldige hoeveelheid water uit Acqua Paola in de bak stroomt.

De pauselijke ondernemingslust op het gebied van aquaducten bouwen zou later nog reden vormen voor een meningsverschil tussen het Vaticaan en de gemeente Rome, omdat Paulus V beweerde dat aangezien het project van groot belang was voor Rome, deze stad ook hoorde mee te betalen aan de kosten ervan. Paulus had 400.000 scudi uit de middelen van het Vaticaan bijgedragen, en hij wilde dat de stad ook bijdroeg. Na enig gemopper betaalde de stad inderdaad. De gegevens laten zien dat naast water naar de tuinen van het Vaticaan brengen Paulus ook plannen ontwikkelde voor een watermolen die gebruikmaakte van Acqua Paola, wat enige inkomsten voor het pausdom en misschien ook voor de familie Borghese had kunnen genereren. Maar dit is uiteindelijk niet doorgegaan. Zelfs de edelmoedigste weldoeners moeten zo nu en dan pas op de plaats maken om niet de indruk te wekken persoonlijk winst te maken ten koste van de gemeenschap.

Paulus' vooruitziende blik om voor een goede watertoevoer naar Rome te zorgen valt te prijzen. Ik kan geen andere Europese stad bedenken waar grote en kleine fonteinen zo'n constante hoeveelheid water naar de dorstige stadsbewoners brengen. In onze buurt, bijvoorbeeld, staat een grote fontein op de binnenplaats van het Palazzo Borghese, en sinds de tijd van de Renaissance hebben de goedgeefse eigenaars de plaatselijke bevolking toegestaan hier hun kleren te wassen, hun flessen te spoelen en zelfs hun kinderen te baden. Dit water, Acqua Vergine, behoort tot het beste drinkwater van Rome. Het komt Rome binnen in de buurt van Roma Termini, en het baant zich kronkelend een weg naar de Trevi-fontein, een triomfantelijke verbintenis tussen water en architectuur. Daarvandaan stroomt Acqua Vergine naar de Barcaccia (oude boot)-fontein van Bernini op de Piazza di Spagna, gebouwd ter nagedachtenis aan de grote overstroming van de Tiber in 1598 (toen er zulke boten waren gebruikt om voedsel te brengen naar de Romeinen die op de daken van hun huizen zaten). Uiteindelijk komt dit water via de Via Condotti (*condotti* betekent 'leiding'), bij het Palazzo Borghese tevoorschijn, en stroomt dan naar een kleine fontein op de markt vlak achter het Palazzo, zodat de groentehandelaren altijd water bij de hand hebben om hun spinazie of sla op te frissen en hun artisjokken af te spoelen.

Iets verderop in deze straat bereikt Acqua Vergine het souterrain van ons gebouw op Piazza Borghese 91, waar voor de bewoners een grote bak met stromend water stond om de was te doen. (Naast onze voordeur hangt een bord waarop het peil van de Acqua Vergine-waterleiding te zien is.) In deze sombere onderaardse *vasca* deden de wasvrouwen het wasgoed in de mand en droegen die vervolgens op hun hoofd vier verdiepingen omhoog naar de *altana*, het dakterras. In plaats van wasknijpers gebruikten ze keurige witte touwtjes die permanent aan de waslijn waren bevestigd. Deze traditie van wasgoed op het dak drogen bestond nog toen wij hier kwamen wonen, en ieder gezin kreeg één keer per week de sleutel van het dak.

Deze regeling werd vijf jaar geleden stopgezet, toen onze huisbaas, La Cattolica, de bovenste verdieping verbouwde en er een luxueus appartement van maakte met een wenteltrap naar onze droogruimte op het dak. De nieuwe bewoners van dit royale appartement richtten het dakterras weldra in met een daktuin, compleet met druivenpergola, rozen en oude olijfbomen, zodat we onze was elders moesten drogen. Maar we zijn met onze tijd meegegaan en hebben een droogtrommel gekocht.

Als tevreden bewoners van een van de gebouwen van Paulus hebben Robert en ik reden de smaak van onze ex-huisbaas te waarderen. Ons palazzo is rustig en comfortabel, zelfs naar hedendaagse maatstaven, en we wonen veel liever hier dan in het grote monster aan de overkant van de piazza.

In beide palazzo's, het grote en het kleine, zouden we het voordeel hebben van in het centrum van Rome te wonen. We zitten op slechts vijf minuten van de Piazza di Spagna en we kunnen onderweg ernaartoe gaan winkelen in de chique Via Condotti; de andere kant uit kunnen we binnen tien minuten lopend langs de Lungotevere via de Ponte Sant'Angelo het Vaticaan bereiken. We boffen eveneens met de goede openluchtmarkt vlak achter het Palazzo Borghese, waar we iedere dag vers fruit en verse groenten kunnen kopen.

Het grote Borghese-paleis kent enkele ingebouwde problemen. Bij de Circolo della Caccia, bijvoorbeeld, zijn geregeld allerlei ontvangsten, en dan willen de binnenplaats en de piazza wel eens verstopt raken met luxe auto's die op onrechtmatige plekken parkeren en de bewoners van hun ruimte beroven. Ook wordt, zoals ik al eerder heb gezegd, de Spaanse ambassade, waarvan je zou denken dat het een rustige plek is, herhaaldelijk bedreigd door opstandige Basken. Toen de kinderen nog klein waren, schrokken we op een nacht allemaal wakker door een vreselijke ontploffing, die mij uit bed wierp. Aanvankelijk hoorden we alleen maar overal om ons heen gerinkel van brekend glas. Het lawaai leek uit het belastingkantoor aan de overkant te komen, maar toen hoorden we vanaf de Piazza Borghese het gejank van sirenes. Robert schoot snel een broek en overhemd aan en ging dapper naar buiten om te zien wat er aan de hand was. Hij ontdekte dat Baskische separatisten de ingang van het Palazzo Borghese hadden opgeblazen en hij zag de deur – een zware constructie van kastanjehout van meer dan drie meter hoog – aan zijn scharnieren bungelen. De deur werd na een halfjaar vervangen, maar de daders werden niet gegrepen. In plaats daarvan heeft er sindsdien altijd een jeep met twee carabinieri erin voor het gebouw gestaan.

Wanneer ik de gedenkpenningen van onze vroegere huisbaas paus Paulus V bekijk, fantaseer ik weleens dat hij in dezelfde kamer zit als waar ik nu aan het werk ben en dat hij zo vriendelijk is geweest me een interview toe te staan. Ik zou hem graag, van huurder tot huisbaas, een paar vragen willen stellen. Bijvoorbeeld: *Over welke van uw verrichtingen bent u het meest voldaan?* Ik denk dat hij zou zeggen dat hij het meest voldaan was over zijn Acqua Paola-aquaduct.

Er is een andere, gevaarlijker vraag, die ik hem misschien zou durven stellen als ik een manier kon bedenken om dat op tactische wijze te doen: *Kunt u me iets vertellen over de gedenkpenningen die u maar liever niet hebt laten slaan?* Mijn onderzoek heeft uitgewezen dat Paulus V veel meer was dan een plannenmaker en bouwer van grote paleizen. Hij was ook heel fanatiek in godsdienstige zaken, en in 1603, toen hij nog kardinaal was, stond hij erom bekend dat hij er strikte (sommigen zeiden achterhaalde) standpunten op na hield over de pauselijke onfeilbaarheid, en werd hij genoemd als inquisiteur. Toen hij paus werd, drong hij aan op absolute kerkelijke heerschappij over de Italiaanse staten, maar het koppige Venetië, dat het zonder toestemming verwerven van land door de Kerk had verboden, weigerde zich te onderwerpen. Woedend probeerde Paulus V gehoorzaamheid af te dwingen, maar toen Venetië volhield, plaatste hij de Venetianen onder een pauselijk interdict. Uiteindelijk kwam koning Hendrik IV van Frankrijk tussenbeide en dwong Paulus V zijn interdict op te schorten – wat de paus danig in verlegenheid bracht.

Vanaf deze tijd werd Paulus behoedzamer in het uitvaardigen van bevelen aan staten om zich onder de heerschappij van het Vaticaan te stellen. Maar hij aarzelde niet individuele burgers te veroordelen. Bij één historische gelegenheid, in maart 1616, berispte hij Italiës grootste natuurkundige Galileo Galilei omdat hij de theorie van Copernicus over het zonnestelsel onderwees – en de hele kwestie van de leer van Copernicus werd op de Index geplaatst, 'totdat deze was gecorrigeerd'.

Maar omdat ik niet over Galilei durf te beginnen, wil ik er een onschuldiger vraag van maken. Bijvoorbeeld: *Wat denkt u dat uw plaats in de Italiaanse geschiedenis zal zijn?* Ik vermoed dat de paus – heel behendig in PR – me een heel Italiaans antwoord zou geven. 'Ik ben vol vertrouwen ten aanzien van mijn reputatie,' zou hij misschien zeggen. En daarna: 'De mensen hebben me altijd gerespecteerd om mijn bekwaamheden als kerkelijk leider en als bouwheer. Dat zijn dingen die ze me hebben toevertrouwd. Ik heb hun grote basiliek van Sint-Pieter gebouwd nadat er vele pausen hebben gefaald. Ik heb hun goed drinkwater van het platteland bezorgd.

Mijn voorgangers waren niet zo voorzichtig als ik. Denk maar aan mijn naamgenoot Paulus IV. Hij was een zeer ontwikkeld mens, maar hij was ook een onbuigzame inquisiteur. Hij wantrouwde joden, vreesde dat ze heimelijk de protestanten ophitsten, dus dwong hij hen binnen het getto te blijven en speciale hoeden te dragen. Hij benoemde zijn waardeloze neefje Carlo tot kardinaal en adviseur. Dus toen hij stierf, waren de mensen niet meer te houden van blijdschap. Ze stroomden toe om het hoofdbureau van de Inquisitie te verwoesten en alle gevangenen vrij te laten, en daarna stormden ze de Campidoglio [het Capitool] op, waar ze het standbeeld van Paulus IV van de sokkel stootten en in stukken hakten.

Ik kijk met veel voldoening op mijn heerschappij terug. Niemand heeft ooit een standbeeld van mij omgetrokken. Mijn naam valt voor iedereen te lezen op de gevel van de Sint-Pieter, de grootste kerk van de hele christelijke wereld. En ik heb een staatsiegraf in een schitterende kapel naar eigen ontwerp in de Santa Maria Maggiore. Wanneer bezoekers eer komen bewijzen aan mijn tombe, zijn ze vol achting en eerbied. Wat kan een paus nog meer verlangen?'

19

De praktijken van het belastingkantoor

VOLGENS EEN VOORAANSTAANDE FRANSE SOCIOLOOG VORMT EEN 'sterk en onafhankelijk ambtenarenapparaat een fundamenteel onderdeel van iedere werkelijke democratie'. Een toevallige bezoeker moet de indruk hebben dat Italië, dat in een permanente wirwar van regels en voorschriften is verwikkeld, een sterke democratie heeft. Maar ik vermoed dat het tegendeel waar is. 'Zwakke ambtenarenapparaten zijn het gevolg van zwakke regeringen,' schreef een andere wijze, en het is een feit dat Italiaanse regeringen altijd zwak zijn, dat ze bestaan uit instabiele coalities die voortdurend blootstaan aan chantage van de kleinere coalitiepartners. De ogenschijnlijk solide linkse regering-Prodi, die het overnam na de Tangentopoli (Omkoopstad)-schandalen van 1996, werd onderuitgehaald door één heel kleine splintergroepering van communisten. En zelfs Silvio Berlusconi, die zich graag voor sterke man uitgeeft, verkeert in voortdurende doodsangst dat zijn samengeraapte coalitie elk moment kan worden getorpedeerd door de xenofobe Lega Nord, die landelijk minder dan 4 procent van de stemmen haalt. De leider ervan, Umberto Bossi, bracht de regering-Berlusconi in 1995 ten val nadat deze zeven maanden aan de macht was geweest, en hij dreigt vaak dit nog eens te zullen doen.

Dit alles zorgt ervoor dat de politici, die zich onzeker voelen, maar al te graag worden omringd door zwakke ambtenaren die hen door dik en dun zullen steunen. Deze jaknikkers op de diverse ministeries weten dat het hun belangrijkste taak is het de minister en zijn cliënten naar de zin te maken, en dus vergeten ze hun verplichtingen tegenover het publiek en brengen hun dagen door met het uitvoeren van een wonderlijke pantomime, waarbij het lijkt of ze het heel druk hebben, terwijl ze in werkelijkheid niets doen. Dit is de goede oude belastingenschuifelpas. Ze springen alleen maar in de houding wanneer er toevallig een hoger geplaatste van het kantoor voorbijkomt.

We hebben op de eerste rang gezeten en konden dit met eigen ogen zien kort nadat we onze intrek in de flat hadden genomen. We ontdekten toen dat het grote stenen gebouw tegenover ons slaapkamerraam, aan de overkant van de straat, het onderkomen was van een belangrijk regeringskantoor. Het gebouw is uitgevoerd in een nogal somber soort natuursteen en telt vier verdiepingen. Het zit vol inkepingen en grote uitstekende randen van siermetselwerk die minstens dertig centimeter over het trottoir uitsteken en een ernstig gevaar opleveren voor mensen met brede schouders of lange halzen. Aangezien we 's nachts de gordijnen van onze slaapkamer dichthielden, hadden we aanvankelijk de indruk dat er niemand in het gebouw woonde, omdat er overdag weinig zichtbare activiteit was en er 's avonds geen lampen brandden. Enkele maanden na onze komst werd ik op een avond echter verschrikt wakker doordat er een sterke lichtbundel over ons bed viel.

'Inbrekers,' fluisterde ik, en ik tikte Robert op zijn schouder.

Toen we eenmaal goed wakker waren, slopen we naar het raam en schoven het gordijn opzij. We zagen dat het licht afkomstig was uit een kamer recht tegenover ons op de tweede verdieping. Er waren twee Filippino's in groene overalls druk bezig de vloer te dweilen en stapels mappen die langs de achterwand van vloer tot plafond lagen af te stoffen. De kamer was een groot kantoor.

De volgende morgen bekeken we het gebouw eens nauwlettender. We ontdekten een bordje naast de deur met *Ufficio Generale delle Tasse di Roma*. We woonden recht tegenover het hoofdkantoor van belastingen van de stad Rome!

'*Mamma mia*,' mompelde ik, 'dat ontbrak er nog maar net aan. Een belastingkantoor recht tegenover onze slaapkamer, en daar weer tegenover een kerk!'

'Dat is een goed teken,' zei Robert, en hij gebaarde met de wijsvinger en pink van zijn rechterhand (een gebaar om boze geesten en narigheid te weren). 'We worden omringd door symbolen van dood en belastingen. Maar ze zitten te dichtbij en ze zullen ons nooit ontdekken.' En dat deden ze inderdaad niet.

Het idee dat we binnen fluisterafstand van een groot Italiaans belastingkantoor zaten maakte sommige Italiaanse vrienden van ons wat huiverig, maar ik beschouw het liever als een leerzame ervaring. Het verschafte ons een inzicht in de manier waarop het belastingkantoor werkte, en een overzicht over het hele landschap van de Italiaanse bureaucratie – een studie die veel informatiever is dan een blik op het Forum Romanum of de koepel van de Sint-Pieter.

Je zou denken dat degenen die toezicht houden op het innen der belastingen in een welvarende stad als Rome mensen met bepaalde morele principes zijn. Aangezien dit de mensen zijn die gegevens bijhouden over alle inkomsten en uitgaven van de inwoners, bekleden ze een positie vol macht. Ze kunnen te weten komen hoeveel de mensen voor hun dienstmeisje, hun arts of hun nieuwe computer betalen en ze houden duizenden portemonnees in een wurggreep. Je vertrouwt er toch op dat ze vol ijver, eerlijkheid en verantwoordelijkheidsbesef aan het werk zijn om alle burgers gelijk te behandelen. Maar zijn ze dat vertrouwen ook waard? Laten we eens kijken.

In Rome zijn de officiële werktijden voor ambtenaren, die de grootste beroepsgroep van de stad vormen, vastgelegd bij wet. Ze moeten om acht uur 's ochtends op hun werk zijn en ze worden geacht ononderbroken door te werken tot twee uur 's middags, en dat zes dagen per week. Dit komt uit op een zes-urige werkdag met de middagen lekker vrij, wat een werkweek van zesendertig uur oplevert – niet overdreven vermoeiend. De zaterdag wordt echter door iedereen, behalve door de allerbraafste ambtenaren, als optioneel beschouwd, zodat er van hun werkweek slechts dertig uur overblijft.

We besloten een discreet onderzoek te verrichten om te zien hoe precies de belastinginspecteurs deze wet naleefden. De volgende morgen schoof ik om acht uur achter de vitrages van onze slaapkamer. Die eerste dag ontdekte ik een aantal verrassende zaken over de werkgewoonten op het belastingkantoor.

Het was als een scène uit een stuk van Gogol. Om acht uur was het kantoor zo leeg als een grafkelder. Ik verwachtte op dat uur enige activiteit, maar er viel niets te bekennen. Ik vertrok naar de keuken voor een kop thee en wat toast. Om negen uur verscheen de eerste werknemer, gekleed in een overjas. Hij trok de jas uit en hing die over de rugleuning van zijn stoel. Daarna legde hij zijn aktetas op het bureau. Hij bekeek de hoeveelheid dossiers die tegen de muur waren opgestapeld en hij rangschikte ze artistiek rond zijn tas. Toen haalde hij zijn autosleutels tevoorschijn en liep naar de deur. Het was duidelijk dat hij zijn auto ging verzetten, misschien naar een betere parkeerplaats – of misschien had hij een afspraak (of een andere baan?) in een ander gedeelte van de stad.

Om halftien kwamen er twee of drie werknemers met in hun hand een papieren beker *caffelatte* binnen, en om tien uur telde ik in totaal acht ambtenaren. Tien minuten later waren er nog vijf bij gekomen, wat een totaal van dertien opleverde. In Italië is dertien een geluksgetal. Maar ze schenen niet veel werk te doen. De helft van hen ging rustig de krant zitten lezen, terwijl de anderen een gezellig babbeltje maakten en van het ene bureau naar het andere liepen. Ze gaan waarschijnlijk later op de morgen aan het werk, dacht ik hoopvol.

Tussen elf uur en drie uur nam ik op verschillende momenten een kijkje om een inschatting te maken van de werkdruk, maar ik ontdekte dat tussen elf en één het aantal mensen in het kantoor met bijna de helft was verminderd. En dit gebeurde tot twee keer toe. Om halftwaalf was het aantal van dertien belastingambtenaren afgenomen tot slechts zes. Drie van hen zaten nog steeds de krant te lezen en drie anderen zaten te kaarten. Waar was de rest gebleven? Ze waren weer voltallig toen het kanon van twaalf uur afging, maar dat was slechts tijdelijk. Om kwart over twaalf was het aantal weer tot zes gedaald.

Het werd uiteindelijk duidelijk dat onze overburen een soort rooster hadden uitgewerkt zodat iedereen 's ochtends een halfuur vrij had voor een cappuccino en een broodje, en om wat boodschappen te doen op de markt op de Piazza Monte d'Oro. (Later kwamen we te weten dat vrouwelijke ambtenaren ook nog één keer per week tachtig minuten vrij mochten nemen om naar de kapper te gaan, die heel handig aan de overkant van de straat zat. De grote haarstylist vertrouwde me toe dat zijn afsprakenboek 's ochtends volledig was gevuld met dames van het belastingkantoor.)

Het bewijs van deze boodschappen op de markt verscheen iedere morgen om halftwaalf, wanneer er plastic tassen begonnen te ontspruiten aan de tralies van de kantoorramen tegenover ons. Deze tassen bevatten bederfelijke waar als kippen, melk, lamskoteletten en verse vruchten en groenten, en op vrijdag gezouten kabeljauw, die de vishandelaren 's nachts in de pekel hadden gelegd. Doordat deze boodschappen buiten het raam bungelden, bleven ze vers en waren ze bovendien van binnenuit niet te zien, in het onwaarschijnlijke geval dat er een regeringsinspecteur binnen zou komen.

Om ongeveer kwart voor één begonnen de nijvere belastingambtenaren hun spullen van buiten het raam te verzamelen en hun krant in hun aktetas te vouwen, en om halftwee was het kantoor nagenoeg leeg. Het zou onbewoond blijven tot de Filippijnse schoonmakers om vijf uur 's ochtends arriveerden.

Dit vroege vertrek bood de belastingambtenaren ruimschoots de tijd om naar huis te rijden (ze kwamen allemaal met de auto naar hun werk en parkeerden illegaal voor hun gebouw), zich tegoed te doen aan een overvloedige lunch in de schoot van hun gezin, en mogelijk een dutje te doen. Na het dutje heet naar schatting ruim 50 procent van de ambtenaren van Rome aan de slag te gaan in andere, goedbetaalde banen in de private sector. (Zowel onze loodgieter als onze elektricien kan alleen maar 's middags bij ons komen, aangezien ze 's ochtends voor het ministerie van Marine werken.) Dus toen we ons 's avonds in onze slaapkamer terugtrokken, was het niet nodig de gordijnen dicht te trekken, omdat het kantoor verlaten was. Er waren geen spionnen die ons konden begluren of we soms goudstaven onder ons matras verstopten.

'Weet je wat zo gek is?' zei ik laatst tegen Robert. 'Er ontbreken twee dingen in dat belastingkantoor.'

'Wat dan wel?'

'Ik zie geen telefoon en ik zie geen computer.'

'Poeh!' antwoordde Robert. 'Weet je waarom ze geen telefoon hebben? Omdat ze niet met het publiek willen praten. Bij banken hebben ze ook geen telefoon.'

'Maar hoe zit het dan met computers?' vroeg ik. 'Ik las in de krant dat de regering bij Olivetti een hele reeks nieuwe computers heeft gekocht. Maar ze gebruiken ze niet.'

'Waarom niet?' zei Robert.

'Misschien omdat de meeste ambtenaren in dat kantoor er al meer dan twintig jaar zitten. Ze zijn te oud om met computers te werken, maar ze worden door de wet beschermd en daarom kunnen ze niet worden ontslagen. Zolang zij zich aan hun baantje vastklampen, kunnen ze niet worden vervangen door mensen die wél met computers kunnen omgaan.'

Hoe enige regering ooit zo'n situatie heeft kunnen tolereren? Heel eenvoudig: er zijn in Italië sinds de vorming van de republiek bijna zestig regeringswisselingen geweest, zodat nieuwe ministers voor het einde van hun ambtsperiode geen tijd hebben zich op hervormingen van het ambtenarenapparaat te richten. Hun voornaamste zorg is zich zo lang mogelijk vast te klampen aan de macht (de grote auto-met-chauffeur, de gratis vliegtuig- en treintickets enzovoort).

Het publiek geeft van zijn kant duidelijk de voorkeur aan een belastingkantoor zonder telefoon en computer. Het geeft ook de voorkeur aan een politiekorps met agenten die een oogje dichtknijpen voor driedubbel parkeren, en als de regels over veiligheidsgordels worden overtreden.

Deze afkeer van gezag is wijdverbreid. De boeren hebben een hekel aan de regering, net als de accountants. Wijlen Gianni Agnelli, hoofd van Italiës grootste motorenfabrieken, heeft het in een interview heel netjes gezegd: 'Volgens mij valt er in een land als Italië veel te zeggen voor een zwakke regering.' En de gewone man denkt er al net zo over. Na door de eeuwen heen onder allerlei soorten despotische regimes te hebben gezucht (zowel buitenlandse als kerkelijke), hebben de Italianen lang geleden besloten dat de enige mensen die ze konden vertrouwen hun eigen familieleden waren, of speciale groepen trouwe vrienden (waarvan de maffia een extreem voorbeeld is).

Iedereen hoopte op betere omstandigheden toen er in 1945 na de overwinning van de geallieerden een nieuwe republikeinse regering werd gevormd, maar toen het Marshall Plan werd opgezet, om met de naoorlogse wederopbouw te helpen, maakten de Amerikanen heel duidelijk dat een mogelijk communistische regering geen enkele hulp zou krijgen. Dus bleven de conservatieve politieke machten in Italië, die zich de christen-democraten noemden, vijftig jaar lang aan de macht – met instemming van het Vaticaan en de Amerikaanse regering, en de zwijgende steun van diverse minderheidsgroeperingen, van wie de socialisten de meest opvallende waren. Deze langdurige greep op de teugels van de macht bracht onvermijdelijk corruptie en zelfingenomenheid met zich mee.

De kleine lettertjes in het contract van de christen-democraten met de kiezers luiden: 'We zullen zo goed voor u zorgen als we maar kunnen. We zullen voor velen van u veilige banen creëren bij overheidsinstellingen waar u nooit kunt worden ontslagen. U zult eveneens gratis gezondheidszorg hebben, een pensioen voor het leven en zwangerschapsverlof, en we zullen niet al te moeilijk doen over belastingen. Het enige dat we ervoor in de plaats vragen is dat u niet klaagt, en dat u belooft bij de volgende verkiezingen op ons te stemmen.'

Deze overeenkomst heeft ruwweg een halve eeuw geduurd, tot hij wreed werd verstoord door het bijna-bankroet van de regering in het begin van de jaren negentig, vergezeld van de Tangentopoli-omkoopschandalen, wat resulteerde in de bijna volledige verdwijning van de christen-democratische partij. Er ontstond een machtsvacuüm ter grootte van de Vesuvius-krater. Dit werd binnen verbluffend korte tijd opgevuld door een splinternieuwe machtsgroep die Forza Italia (Lang leve Italië!) heette en volledig was georganiseerd en gefinancierd door de rijkste man van het land, Silvio Berlusconi. In 1994 wist Berlusconi zich tot premier te laten kiezen, ondanks het feit dat hij het grootste commerciële televisiestation van Italië bezat en er een aantal beschuldigingen tegen hem was ingediend wegens fraude en het omkopen van rechters. Het feit dat hij alleen maar een symbolische poging deed deze enorme verstrengeling van belangen op te lossen, bleek helemaal geen probleem te vormen voor de nieuwe premier, hoewel er hevige en herhaalde protesten van zijn EU-buren klonken.

De Italianen richtten hun loyaliteit nu op de nieuwe machthebbers en ze beschouwen de regering nog steeds als een Grote Gouden Bijenkorf, de bron van nagenoeg alle welvaart in het land. Er zijn twee manieren om een deel van de honing te bemachtigen. De ene is jezelf in de bijenkorf te nestelen, door je tot afgevaardigde of senator of als lid van een regionale raad te laten kiezen. Als je eenmaal bent gekozen, kun je je energie richten op het organiseren van grootse plannen voor het uitgeven van overheidsgelden, zoals wegen, nieuwe regeringsgebouwen, defensieapparatuur en bruggen (de grote brug naar Sicilië is daar een voorbeeld van). Voor al zulke plannen zijn *appalti* (contracten) ter waarde van miljarden euro's nodig. Op dat punt valt het meeste smeergeld te verdienen. (Een nieuwe ondergrondse spoorlijn die onlangs in Milaan is aangelegd heeft het dubbele gekost van een overeenkomstige lijn in Berlijn.) Een andere methode bestaat eruit alle mogelijke connecties die je binnen de bijenkorf hebt te gelde te maken teneinde een chique baan bij de overheid te bemachtigen, eentje met gunstige werktijden, veel voordeeltjes en een verzekerde toekomst met een schitterend pensioen.

Als je niet het geluk hebt in de Grote Gouden Bijenkorf te komen, dan zit er niets anders op dan te proberen er zo min mogelijk geld aan af te dragen. Belastingontduiking is altijd endemisch geweest in Italië, en zal dat ook wel altijd blijven. Het betalen van zo weinig mogelijk belasting is een van de meest florerende ondernemingen van het land, wat verklaart waarom bijna niemand erover klaagt wanneer de ambtenaren op het belastingkantoor het grootste deel van de ochtend besteden aan boodschappen doen voor het gezin of aan een bezoek aan de kapper.

Hier volgt een lijst van regels voor bureaucratisch gedrag in Italië, die ik van een bevriende journalist heb gekregen:

Tien geboden voor modelbureaucraten
De burger heeft helemaal geen rechten.
1. Weiger indien mogelijk iedere smekeling die u wil spreken te ontvangen.
2. Ontken te allen tijde dat u enige bevoegdheid bezit in de zaak die voor hem van belang is.
3. Honoreer nimmer een verzoek de eerste keer dat u het ontvangt. Zorg er altijd voor dat de betreffende persoon minstens één keer terug moet komen met een document dat hij de eerste keer niet bij zich had.

4. Als iemand u dwingt een verzoek in te willigen, maak dan duidelijk dat dit bij wijze van speciale gunst is en dat u het heel gemakkelijk had kunnen afwijzen.
5. Wees nooit duidelijk of onmiskenbaar in uw communicatie met iemand. Dubbelzinnigheid is uw sterkste wapen.
6. Pas de wet met kille logica toe op alle burgers die u met onverschilligheid beziet. Interpreteer de wet positief voor vrienden en negatief voor vijanden.
7. Laat indien mogelijk nimmer uw gezicht zien en maak uw naam niet bekend, zodat uw beslissingen u nimmer kunnen worden aangerekend.
8. Aanvaard nimmer verantwoordelijkheid voor beslissingen die u neemt; schrijf alle verantwoordelijkheden aan uw meerdere toe.
9. Hoe onduidelijker een regel, hoe beter die is. Dat stelt u in staat soepele of glijdende interpretaties toe te passen die u nimmer in verlegenheid zullen brengen.
10. Onthul nimmer de persoonlijke identiteit van meerderen die de macht in uw kantoor hebben. Dat kan hun gezag verzwakken, met het gevolg dat uw gezag ook wordt verzwakt.

Ik denk dat veel Italianen worden geboren met deze regels vastgelegd in hun DNA-structuur.

20

Antonio di Pietro: de opkomst en ondergang van een goed mens

✿ ✿

DE OUDE ROMEINEN BEHOORDEN TOT DE BESTE WETTENMAKERS uit de geschiedenis, maar op de een of andere manier zijn ze er nooit in geslaagd een cruciaal probleem op te lossen: hoe vind je de juiste mensen om de wetten uit te voeren? In Italië, waar veel wetten die in de westerse wereld gelden vandaan komen, is het altijd moeilijk geweest eerlijke mannen en vrouwen te vinden die bereid zijn hun persoonlijke ambities op te offeren voor het algemene belang van het land.

Te vaak is de loop van de Italiaanse geschiedenis bepaald door tirannen die erop uit waren hun eigen keizerlijke macht te vergroten, of door inhalige politici die zich niet om het publieke welzijn bekommeren en slechts oog hebben voor het consolideren van hun eigen positie als goedbetaald lid van een bevoorrechte heersende kliek. Daarom zorgde de plotselinge komst van een moedige man die vastbesloten leek Italië van zijn chronische corruptie te bevrijden voor veel verbazing en enthousiasme bij de gewone Italianen, omdat zij al generatieslang niet meer zoiets hadden meegemaakt. Hij was op z'n zachtst gezegd een onwaarschijnlijke held, en het verhaal van zijn succes en daaropvolgende ondergang werpt een onthutsend licht op de staat waarin de democratie van Italië zich thans bevindt.

Ik zag Di Pietro voor het eerst in 1992 op de televisie. Hij was afkomstig van het platteland, helemaal in het zuiden, en hij was op dat moment een vooraanstaand officier van justitie in de Mani Pulite-anticorruptiecampagne in Milaan. Meer dan wie ook slaagde hij erin de dikke deken van corruptie die vijftig jaar lang over de christen-democratische regering had gelegen te onthullen en gedeeltelijk te vernietigen. Toen zijn collega's en hij klaar waren met hun onderzoek, lagen de christen-democratische partij en de socialistische partij van Craxi volledig in puin en waren tientallen andere corrupte lieden, die zich met smeergeld of vriendjespolitiek hadden verrijkt, als regelrechte boeven in de gevangenis gezet of anderszins van het politieke toneel verdwenen. Het leek of Italië, met een nieuwe en links georiënteerde regering, voor het eerst in vijftig jaar het imago van het meest corrupte land van Europa van zich af had geworpen.

Antonio di Pietro, met zijn forse bouw van zwaargewicht bokser, zag er niet uit en gedroeg zich niet als de meeste collega-aanklagers in Italië. Hij kwam uit de Moldise, een stoffige, versleten provincie in het Zuiden, waar intelligente boerenjongens rechtstreeks van school bij de carabinieri kwamen, en hij had de neiging met snelle staccatoklanken te spreken, waarbij hij eenvoudige plattelandstaal gebruikte in plaats van politieke clichés.

Als hij het had over zijn vijanden die samenzweerden om hem door middel van lastercampagnes onschadelijk te maken, begon Di Pietro over ‘*corvi che mi girono sulla testa*’ (kraaien die rond mijn hoofd vliegen). En als hij het had over politici die zich te schande hadden gemaakt en probeerden hun naam en reputatie te zuiveren zodra ze uit de gevangenis kwamen, beschuldigde hij hen ervan te proberen ‘*rifarsi la verginità*’ (de maagdelijkheid te herstellen). Maar achter zijn boerse uiterlijk school een andere eigenschap van Di Pietro, die hem een plaats in de harten van de gewone Italianen had bezorgd: hij deed nooit slaafs of onderdanig tegen hooggeplaatste personen. Hij sprak hen nimmer aan met titels als *onorevole* of *cavaliere*.

Italianen zijn dit soort vermetelheid niet gewend, en zeker niet van hun arme neven in het Zuiden. Ze behandelen politici alsof het leden van een koninklijk huis zijn: ze slaan hun ogen bedeesd neer wanneer ze zulke mensen ontmoeten. Ik zal nooit dat schokkende moment vergeten in 1992, toen RAI begon met het uitzenden van de Mani Pulite-hoorzitting vanuit het gerechtsgebouw in Milaan, en Di Pietro als hoofdaanklager Zijne Excellentie Bettino Craxi in de

getuigenbank plaatste. Craxi, het hoofd van de Italiaanse socialistische partij, en gedurende vele jaren premier van het land, werd ervan beschuldigd voor miljoenen dollars aan smeergeld te hebben
opgestreken, waarvan een groot deel in papieren zakken naar zijn
kantoor op het plein voor de kathedraal van Milaan was gebracht.
Craxi was een politicus met een indrukwekkende hoeveelheid in-
beelding, en hij was gewend als een soort halfgod te worden behandeld. Di Pietro, op dat moment een nog onbekende figuur op het
tv-scherm, stond op, trok onhandig zijn zwarte toga om zich heen
en keek de politicus recht in de ogen.
 'Uw naam?'
 Craxi keek verbijsterd op, alsof hij een klap had gekregen.
 'Bettino Craxi!'
 'En wat doet u?' vroeg Di Pietro. Craxi's antwoord ging verloren
in het geroezemoes dat ontstond toen er een golf van ongeloof door
de rechtszaal ging. De mensen waren er niet aan gewend hun po-
tentaten op deze manier behandeld te zien.
 Dat was het moment waarop ik besefte dat Di Pietro de onbe-
vreesde man was die ik had gezocht, de man die misschien eindelijk
iets goeds in Italië zou aanrichten. Duizenden Italianen die deze
rechtlijnige voormalige politieman zagen, reageerden hetzelfde, en
binnen de kortste keren werd Antonio di Pietro de meest bewon-
derde man van Italië. Een overweldigende 72 procent van de bevolking beaamde dat.
 Het verhaal van hoe Di Pietro aan de macht kwam is op zichzelf
uitzonderlijk voor een Italiaan. Hoewel hij van bescheiden komaf
was, had hij een groot verlangen naar rechtvaardigheid, zoals veel
mensen van het platteland dat hebben. Hij vond het afschuwelijk te
moeten zien hoe sterke en machtige mensen de zwakkeren manipu-
leerden.
 Hij verwierf enkele speciale vaardigheden die niet veel voorkomen bij jongemannen die op de traditionele manier bij de carabinieri beginnen: hij kon heel goed overweg met elektronica en computers. Deze hartstocht had hij ontwikkeld toen hij nog heel jong
was, en zelfs in de tijd dat hij als stadsagent zijn eerste arrestaties
verrichtte, besteedde Di Pietro een groot deel van zijn vrije tijd aan
het bestuderen van nieuwe computersystemen. Uiteindelijk ver-

kreeg hij de titel van *perito elettronico*, wat betekent dat hij het hoogste niveau had bereikt als expert op het gebied van elektronica.

In het begin van de jaren tachtig werd hij bevorderd tot de rang van commissaris van politie in het district Milaan en ging hij aan de slag om een bende autodieven, die rond het vliegveld opereerde, op te rollen. In deze periode slaagde hij er eveneens in een corrupt systeem aan te pakken van 'gemakkelijke rijbewijzen' dat jarenlang bij de voertuigenregistratie van Milaan had bestaan. Hier bracht Di Pietro voor het eerst zijn computervaardigheden in praktijk om een misdrijf op te sporen en vervolgens op te lossen.

Wat hij deed was de afdeling Motorvoertuigen van Milaan vragen hem de namen te geven van alle mensen die in de afgelopen vijf jaar via hun kantoor een rijbewijs hadden ontvangen. Toen het antwoord kwam, bleken er zo'n 800.000 rijbewijzen te zijn uitgereikt. Di Pietro begreep dat hij nooit al deze namen in zijn nog primitieve computer kon invoeren, dus vroeg hij de betreffende afdeling hem de namen te geven van alle mensen die in de provincie woonden maar naar Milaan waren gegaan om hun rijexamen af te leggen. Het antwoord was 78.000 mensen. Vervolgens vroeg hij de mensen van de afdeling Motorvoertuigen de plaatsen rond Milaan apart te bekijken en uit te zoeken hoeveel rijbewijzen er ieder jaar voor iedere plaats waren uitgereikt en welk gedeelte daarvan in Milaan was verstrekt. Uiteindelijk ontdekte Di Pietro dat er in de plaats Ardesio in de regio Val Seriana van de 210 mensen die in een bepaalde periode een rijbewijs hadden gehaald, 150 de reis naar Milaan hadden gemaakt in plaats van thuis examen te doen. Dat is een groot deel! Wat had zoveel Ardesianen naar Milaan gevoerd?

Di Pietro kreeg de namen van twintig van deze Ardesianen en riep hen op zich allemaal op hetzelfde tijdstip op dezelfde dag in zijn kantoor te melden, zodat de twintig elkaar konden zien zonder met elkaar te kunnen spreken. Hij trok zijn mooiste commissaris-uniform aan en liep de wachtkamer binnen, waar de twintig nerveuze chauffeurs uit Ardesio waren verzameld. Hij rommelde wat in een stapel officiële papieren.

'*Buon giorno*,' zei hij tegen de menigte. 'Ik wil nu een voor een met u praten over hoe u uw rijbewijs hebt gekregen en wie u het examen heeft afgenomen.'

De eerste twee mensen die hij ondervroeg beweerden zenuwachtig dat ze hun rijbewijs na een wettig examen hadden ontvangen, maar ze konden zich niet herinneren waar ze hun rijexamen hadden afgelegd, of bij wie. Tegen de tijd dat hij aan de derde chauffeur toe was, begrepen de anderen wel dat het spel uit was en bekenden ze. Uiteindelijk gaven alle twintig mensen toe dat ze smeergeld hadden betaald voor hun rijbewijs, waarmee ze de examinatoren hadden verrijkt en ook een aantal onervaren en mogelijk gevaarlijke chauffeurs op de weg hadden gebracht.

Di Pietro herhaalde deze procedure voor de rest van de regio Milaan. Uiteindelijk arresteerde hij zestig examinatoren van de afdeling Motorvoertuigen wegens het aannemen van steekpenningen, en nog eens veertig medewerkers van de rijscholen die erbij betrokken waren.

Kort na zijn triomf, halverwege de jaren tachtig, werd Di Pietro van het politiebureau naar het kantoor van de officier van justitie bevorderd. Van politieman naar carabiniere naar aanklager binnen slechts enkele jaren tijd. De boerenzoon uit de Molise had het gemaakt!

Di Pietro weet nog goed hoe ongemakkelijk hij zich voelde toen hij zijn intrek nam in de sombere kantoren van de hoofdofficier van justitie, Francesco Severio Borelli, in het gerechtsgebouw van Milaan.

'Ik voelde me heel geïsoleerd,' zegt hij, 'want ik kende niemand. En als ik met de mensen op het kantoor praatte, had ik de neiging plat Italiaans te gaan praten en mijn woorden te verhaspelen; dat doe ik nog steeds. Ik was ook niet goed in sociale contacten; ik werd niet bij mijn collega's te eten gevraagd. Ik was de enige die hoofdofficier Borelli aansprak met het formele *lei* in plaats van *tu*. Ik tenniste niet. Ik was geen lid van een club.'

Het werk op het kantoor in Milaan lag bijna stil toen Di Pietro er arriveerde. De magistraten werkten onafhankelijk van elkaar, herinnert hij zich, en het enige dat ze voor hun moeite kregen waren '*schiaffi e schiaffi*' (klappen en nog eens klappen) van de rechters die over een hoger beroep beslisten. De gefrustreerde aanklagers wisten dat de wetten ontoereikend waren; ze hadden nieuwe regels en nieuwe technieken nodig om het systeem van politiek smeergeld en *tangenti* (omkoperijen), dat het politieke leven beheerste, te onderzoeken. Maar de zittende regering leek niet bereid om hun meer onderzoekswapens te geven.

Voor het in de omgeving van Milaan (en later door heel Italië) opsporen van het systeem van steekpenningen in ruil voor gunsten dat de relaties tussen politici en grote zakenmensen bepaalde, besloot Di Pietro zijn computers te gebruiken om geld te traceren dat op buitenlandse bankrekeningen verborgen stond, en dat daarom heel goed *soldi neri* (zwart geld) kon zijn. Teneinde dit verborgen geld te vinden stuurde Di Pietro carabinieri naar de voornaamste regeringskantoren in Milaan met de vraag hun alle rekeningen en contracten voor 'consulten' van particuliere bedrijven met een hoofdkantoor in het buitenland te geven. Toen hij deze documenten eenmaal had, gaf hij zijn computermensen opdracht alle rekeningen die op meer dan vijf nullen eindigden eruit te halen.

Waarom vijf nullen? Omdat Di Pietro redeneerde dat als een regeringskantoor een grote partij spijkers of moeren uit Singapore bestelde, en de mensen in Singapore een rekening voor 509.674 lire stuurden, deze transactie heel goed legaal kon zijn. Maar als een particulier bedrijf met een hoofdkwartier in Liechtenstein een groot bedrag, bijvoorbeeld 8000.000 lire, aan een regeringskantoor betaalde wegens 'honoraria consulten', zou deze betaling weleens op steekpenningen kunnen wijzen. Fiat bekende al snel, evenals andere vooraanstaande industriëlen zoals Carlo di Benedetti en de leiders van het elektriciteitsbedrijf Enimont. Ze gaven allemaal toe dat ze steekpenningen hadden betaald uit buitenlandse middelen; altijd, beweerden ze, omdat ze daar door politici toe waren geprest. Di Pietro zei tegen hen dat ze als ze meewerkten met de openbaar aanklagers en de namen gaven van de politici die hen hadden omgekocht niet naar de gevangenis zouden gaan. In plaats daarvan zouden ze grote boetes moeten betalen en al het zwarte geld moeten opgeven. Door dit te doen, vertelde hij hun, zouden ze hun bedrijf van de ondergang redden, terwijl de politici werden gepakt. Slechts één grote ondernemer weigerde mee te werken. Silvio Berlusconi, de rijkste man van Italië, vocht vanaf het allereerste begin terug en krijste dat hij onschuldig was, dat hij het slachtoffer was van een communistisch complot.

Het systeem van Di Pietro werkte, en binnen slechts enkele jaren was de politieke kliek die Italië vijftig jaar lang had overheerst ontrafeld. De getallen geven de enormiteit van deze ontwikkeling niet echt goed weer, maar – aldus Di Pietro – de Mani Pulite-campagne onthulde slechts het topje van de ijsberg. Na een aantal belangrijke veroordelingen tot stand te hebben gebracht begon het geluk van Di Pietro te keren. Dit kwam doordat er een nieuwe politieke coalitie werd gevormd om de plaats van de gevallen christen-democraten in te nemen, en de man die deze nieuwe groep leidde was niemand minder dan zijn oude vijand, 'Cavaliere' Silvio Berlusconi, die besefte dat de enige manier om onder de ernstige aanklachten wegens omkoperij uit te komen en zijn wankelende imperium te redden eruit bestond te zorgen dat hijzelf in de regering werd gekozen. Hij kwam in 1994 aan de macht. Zijn regering hield zeven maanden stand. (Berlusconi's hechtste bondgenoot, Bettino Craxi, wist zijn huid te redden door smadelijk het land uit te vluchten en zich terug te trekken in zijn villa aan zee in Tunis.)

De Cavaliere zag in dat Di Pietro een enorm gevaar voor zijn financiële en politieke ambities betekende, want de jonge magistraat was niet alleen uitermate populair, hij had ook een kantoor vol diskettes die zeer wel het volledige Berlusconi-imperium tot zinken konden brengen. Dus zette hij een tweevoudige aanval in. Eerst belde hij Di Pietro vanuit het kantoor in het Quirinale, van de toenmalige president Oscar Luigi Scalfaro, om hem de sleutelpositie van minister van Justitie in zijn nieuwe regering-Berlusconi aan te bieden. Di Pietro bedankte ervoor. Tegelijkertijd, volgens Di Pietro, zette Berlusconi zijn advocaat Cesare Previte aan het werk om materiaal uit Di Pietro's verleden op te sporen teneinde hem in diskrediet te brengen. De haaien verzamelden zich in de troebele wateren van de Italiaanse politiek, of, zoals Di Pietro het uitdrukte: de campagne van de 'killeraggio' (killing, het doden) kwam op gang. Zijn vijanden waren machtige mensen, en om zijn politieke invloed te vergroten had Berlusconi een heleboel journalisten ingeschakeld die voor zijn drie commerciële tv-stations werkten, en krantencolumnisten die bereid waren alles te publiceren wat Berlusconi zei, en dat dag na dag te herhalen, tot het publiek het begon te geloven. De advocaat Previte kwam met een paar makkers uit Di Pietro's carabinieri-dagen, die bereid waren onder ede te verklaren dat ze hem geld hadden geleend, of hem een Mercedes hadden gegeven. Uiteindelijk werden er tien aanklachten tegen Di Pietro ingediend via een maffiaconnectie in Italië die jaren geleden door Di Pietro in staat van beschuldiging was gesteld.

Di Pietro besefte dat de kraaien inderdaad rond zijn hoofd vlogen, tot hij ten slotte zijn toga in het openbaar uittrok en zijn ontslag indiende. Tot verbijstering van zijn bewonderaars legde hij niet uit waarom hij ontslag nam en zijn supporters begonnen zich ongerust te maken. Wat was er met hun held gebeurd? Was er een duistere reden waarom hij zo snel opgaf? Was hij misschien, zoals zijn tegenstanders suggereerden, van plan gebruik te maken van zijn enorme populariteit om zelf aan een politieke loopbaan te beginnen?

Deze vraag werd Di Pietro steeds weer gesteld, maar hij stond eindelijk, in januari 2002 (nadat hij van alle beschuldigingen die tegen hem waren ingediend was vrijgesproken) een interview toe, waarin hij zijn antwoord gaf: hij was vertrokken vanwege de kraaien die rond zijn hoofd vlogen.

Het bleek dat er alles bij elkaar zevenentwintig beschuldigingen tegen Di Pietro waren, van corruptie tot samenzwering, misbruik van zijn functie, overtreding van de grondwet, propageren van een bedrieglijke ideologie en zelfs ongewenste intimiteiten met een journaliste (de vrouw in kwestie verscheen in de getuigenbank om deze beschuldiging te ontkennen). Di Pietro bestreed de aanklachten stuk voor stuk – een 'lijdensweg van vier lange en bittere jaren', zoals hij het noemde. In die tijd hield hij geen toespraken en gaf hij geen interviews, en de door Berlusconi geregeerde pers voerde een meedogenloze lastercampagne tegen hem. Maar uiteindelijk werd hij vrijgesproken. De rechters – en dat waren er tientallen – oordeelden dat de beschuldigingen jegens hem uit een grote verzameling leugens bestonden.

Zoals Di Pietro zei: 'Als ik van moord beschuldigd was geweest, was het alsof alle rechters hadden gezegd: "We hebben hier geen zaak. De dode is nog steeds in leven."'

Toen hij zijn naam eenmaal had gezuiverd, ging Di Pietro wél in de politiek en hij werd senator in de naar links neigende coalitie.

Tot zijn verdriet ontdekte hij echter dat de coalitiegenoten hun meeste energie verdeden aan ruziemaken met elkaar en niet met de bestrijding van hun politieke vijand, de rechtse leider Silvio Berlusconi. Zijn linkse bondgenoten hadden eveneens de neiging Di Pietro op een afstand te houden – sommigen omdat ze vonden dat hij als aanklager met erg zwaar geschut was opgetreden, anderen omdat de meedogenloze publiciteitscampagne tegen hem een schaduw over zijn naam had geworpen. De spanning van alles wat hij had moeten doorstaan liet zich gelden en toen lakeien van Berlusconi hem bespotten om zijn politieke ambities en de ineenstorting van zijn anticorruptiecampagne, raakte hij bijna buiten zichzelf van woede. Sommige mensen die erbij waren zeiden dat hij eruitzag als iemand die op het punt staat in te storten.

In een RAI-praatprogramma dat was georganiseerd ter gelegenheid van de tiende verjaardag van de Mani Pulite-campagne bevond Di Pietro zich opnieuw in zijn eentje tegenover een panel van acht bittere vijanden. Vier van hen waren voormalige politici wier carrière hij had geruïneerd en die zijn bloed wel konden drinken. De vier anderen waren gehoorzame vazallen van Berlusconi's Forza Italia, die de opdracht hadden hem naar de keel te vliegen. Acht tegen één. RAI bleek de zaak wel erg te hebben voorgekookt. Di Pietro had zich nooit op deze manier in een hoek mogen laten drijven, en hij verdedigde zich zo dapper als hij kon. Maar één man is geen partij voor een groep van acht vijanden, en hoe meer hij probeerde zijn verhaal te doen, hoe luider zij beledigingen begonnen te roepen, tot niemand in het programma nog te verstaan was. Hij bladerde wanhopig in de dikke stapel papieren om een document te vinden dat hij nodig had, maar de papieren gleden in een armzalig hoopje op de grond.

Uiteindelijk wist Di Pietro toch een paar kleine triomfen te behalen. Eén daarvan was toen de dochter van Craxi, die een campagne had gevoerd om de reputatie van haar vader te herstellen, Di Pietro recht aankeek en hem ervan beschuldigde haar vader, die 'in ballingschap' in Tunesië was gestorven, te hebben gedood. Di Pietro keek haar 'zo koud als ijs' aan. 'Craxi is niet in ballingschap gestorven,' zei hij. 'Hij is in Tunesië gestorven als voortvluchtige.' De oud-officier van justitie had niets aan scherpte ingeboet.

Maar ik was toch kwaad. Het leek me duidelijk dat Di Pietro op een geweldige manier aan het kortste eind had getrokken. Mani Pulite had een boemerangeffect gehad.

Maar mijn treurigheid was misschien wat voorbarig.

Binnen een week na de talkshow nodigde een groep liberale intellectuelen, samen met de filmregisseur Nanni Moretti en de Nobelprijs-winnende acteur Dario Fo, Di Pietro uit een demonstratie in Milaan bij te wonen om te herdenken dat zijn grote campagne tien jaar geleden van start was gegaan. Het was een koude zondagmiddag in februari, een mooie tijd om gezellig thuis de krant te lezen, maar het nieuws verspreidde zich en de mensen kwamen in drommen, zo'n 40.000 bij elkaar. Ze kwamen met de auto, de bus of de trein om mee te protesteren en te verklaren dat Mani Pulite en het werk van Tonino di Pietro niet vergeefs waren geweest.

'Velen van ons hebben een kunstgebit of een gehoorapparaat,' zei een van de belangrijkste sprekers. 'Je kunt ons niet echte revolutionairen noemen. Maar we vinden dat onze vrijheid in gevaar komt. Het wordt tijd om in Italië de wet weer grondig na te leven en ons te ontdoen van politici die niet aan Italië, maar alleen aan hun eigenbelang denken.'

De camera's toonden een grote menigte die de zaal niet meer in kon en nu ervoor buiten op de piazza stond. Opeens pakte een lange man, die eruitzag als een prijsvechter, een ladder en zette die tegen de muur, zodat hij op een wiebelig ijzeren platform rond de arena kon klimmen. Hij greep een megafoon en begon te spreken.

'Mede-Italianen,' begon hij, '*benvenuti*. Ik ben blij dat zovelen van u vanmiddag hierheen zijn gekomen om samen onze stem te verheffen tegen de nieuwe regering en om het principe dat alle Italianen, groot en klein, rijk en arm, gelijk zijn voor de wet te steunen.'

Het was Antonio di Pietro, dorpsjongen uit de Molise, politieman, carabiniere, hoofdofficier van justitie en vijand van politiek geknoei. Met zijn gebruikelijke woordenstroom en moeizame grammatica leek Tonino weer aan de macht te zijn en de menigte juichte hem toe zoals hij in geen jaren was toegejuicht.

'Bravo, Tonino!' riepen ze. 'Blijf knokken voor de goede zaak!' Misschien ging de wind eindelijk eens uit een andere hoek waaien.

21

Het luchtcircus van Gabby de Gabbiano

❦

WANNEER DE POLITIEKE STORMEN DIE OM ONS HEEN WOEDDEN te vermoeiend werden, trokken we ons maar al te graag terug in de rustiger wereld van ons terras, waar we konden zien hoe de vogels hun gymnastiek in de lucht deden.

We kenden ze inmiddels allemaal heel goed: de zwaluwen met hun vrolijke geduik en getol, de merels die op televisieantennes zaten om hun avondconcert te geven, en de hier woonachtige duiven, die tot onverwachte welvaart kwamen toen de Via Veneto uit de mode raakte en de cafés op de nabijgelegen Piazza in Lucina in zwang kwamen. De duiven zaten 's nachts meestal op het gebouw tegenover ons terras en 's ochtends vlogen ze regelrecht naar de piazza om kruimels en korstjes op te pikken die waren gemorst door de vroege ochtendgasten die een *caffè latte* (koffie met melk) of een *caffè corretto* (koffie, 'gecorrigeerd' met een scheutje grappa) hadden gehaald. Tussen de middag en 's avonds wisten ze vaak opnieuw wat achtergelaten pinda's of chips te bemachtigen van klanten die lang over hun aperitief deden. We glimlachten zelfs toegeeflijk wanneer er een zwerm kraaien neerstreek om de duiven te plagen. Ik geloof niet dat de kraaien de duiven echt lastigvielen, maar ze gingen op zo'n manier op de schoorstenen zitten en keken met zo'n scherpe blik naar hen dat de duiven er zenuwachtig van werden. We vroegen ons alleen wel af wat de kraaien met dit dreigende gedrag bedoelden.

Maar het ergste moest nog komen. Net toen Rome zich begon op te maken voor de millenniumfeesten, verscheen er een veel lawaaiiger groep vogels in ons vreedzame steegje: zilvermeeuwen. Zelfs nu, twee jaar na de millenniumwisseling, zijn ze nog bij ons. De leider van deze invasie is een woeste vrouwtjesmeeuw die ik Gabby de Gabbiano (*gabbiano* is Italiaans voor 'zilvermeeuw') noem en die de lucht van haar jammerklachten vervult. Haar scala aan kreten omvat alles vanaf een rauw krassend geluid tot aan het luide gemauw als van een kat, en van het geblaf van een kwade hond tot een dreunend gekrijs als van een machinegeweer. Wanneer Gabby heel opgewonden wordt, kan ze zelfs balken als een ezel. Tot haar komst bood de piazza achter ons huis een prettige leefomgeving voor de plaatselijke vogels. Nu is het niet langer hun piazza; veel van onze vogels zijn zelfs weggegaan en de brave duiven die blijven, zijn van het dak verdreven en zoeken nu moeizaam houvast aan de kleine ankers in de muur waarmee de luiken worden vastgezet. Aangezien die erg klein zijn, kunnen de duiven er slechts met één poot houvast op vinden en moeten ze met hun vleugels fladderen om in evenwicht te blijven. Daarnaast bibberen ze en hippen ze zenuwachtig in het rond iedere keer dat Gabby krijst, maar ze kunnen haar bijna nooit zien, omdat ze schuilgaat achter de rand van het dak. Arme duiven. Het is nu Gabby's piazza en we zijn allemaal toeschouwers geworden van de dagelijkse drama's van haar overbelaste moederschap, met krijsende baby's en ontrouwe mannelijke meeuwen.

De Gabby-invasie kwam niet geheel onverwacht. Hoewel we eraan gewend waren geraakt de meeuwen te zien neerstrijken langs de Ponte Cavour over de Tiber, slechts één straat van onze flat, was ons lang geleden verteld dat zilvermeeuwen zich nooit van het water op de terrassen van Rome zouden wagen. Tot we op een avond op een terras boven de Campo Marzio zaten te eten en er boven ons hoofd een grote zwerm meeuwen verscheen, die vastberaden in zuidelijke richting vloog. Opeens scheidden er zich twee van de groep af en streken neer op de koepel van het Pantheon.

Ik was geschokt. 'Wat moeten die meeuwen hier op het Pantheon?' vroeg ik.

Een andere eter, die alles over vogels wist, verzekerde me dat dit heel ongewoon gedrag was. De twee meeuwen waren waarschijnlijk gewoon moe, zei hij, en ze zouden zich vast weer snel bij hun eskader voegen op weg naar een onlangs geopende vuilstortplaats ten zuiden van Rome.

'Het zijn aaseters,' zei hij, 'en het enige dat ze interesseert is afval. Het zijn absoluut geen stadsbewoners.'

Er ging een jaar voorbij, en toen werden we op een nacht gewekt door een enorme kakofonie boven ons. We keken naar buiten en zagen een zwerm zilvermeeuwen – misschien wel twintig – boven het dak van de kerk vliegen en krijsen. Toen ik 's ochtends een kop thee op mijn terras dronk, zag ik een grote zilvermeeuw op de schoorsteen aan de overkant van het steegje zitten.

We maakten geen oogcontact omdat ik vast van plan was hem te negeren, in de hoop dat de vogel weg zou gaan. Maar toen een paar dagen later een groep Albanese bouwvakkers een steiger vlak onder de schoorsteen wilden opbouwen, hoorde ik één bouwvakker een kreet van schrik slaken. Hij stond met een grote stok in de lucht te maaien in een poging een krijsende zilvermeeuw, die telkens weer als een bommenwerper naar zijn onbedekte hoofd dook, af te weren. Toen alle opwinding wat was geluwd, vertelde de man me in gebroken Italiaans dat de meeuw pal naast de schoorsteen een nest had gemaakt van citroenschillen en oude plastic zakken en dat er in het nest één ei lag, met bruine en witte spikkels.

De noodzaak om deze schat uit te broeden leek Gabby's enige zorg te zijn, maar ze maakte op schrille toon duidelijk dat ze hulp nodig had. Ze zat zodanig op het ei dat ze altijd in de richting van de Tiber keek en ze kon urenlang haar woede en verwijten op de meeuwen bij de rivier richten. Uiteindelijk kwamen er twee of drie enorme meeuwen (mannetjes, veronderstelde ik) vanuit het westen naar haar toe gedoken, om een paar diepe uithalen naar het nest te doen, waarbij ze voortdurend krijsten, voordat ze weer wegvlogen. Het was duidelijk dat Gabby voedsel verwachtte, of misschien zelfs wat aflossing bij het broeden, maar voorzover ik kon zien bood geen van de mannetjesmeeuwen iets van hulp aan. (Dit ondanks de verklaring in onze vogelencyclopedie dat 'beide meeuwenouders de eieren uitbroeden en de jongen verzorgen'.) De encyclopedie bood eveneens de schrikbarende informatie dat meeuwen van gezelschap houden en meestal in grote groepen nestelen. Meeuweneieren, zei het boek, hebben tot drieëndertig dagen nodig om uit te komen, en daarna duurt het zes weken voor de jonge vogels gaan vliegen. Dat betekent dat de moedervogel minstens vijfenzeventig vrolijke dagen dienst heeft. *Santo cielo!*

We hadden al plannen gemaakt om de maand juni 2001 naar New York te gaan, dus waren we afwezig toen het ei uitkwam, maar toen we in juli terugkwamen in Rome, ontdekten we dat de situatie op het nabijgelegen dak danig was verslechterd. Gabby's ei was inderdaad uitgekomen en had een enorme baby geproduceerd, helemaal bruin-wit gespikkeld, die bijna even groot was als zijn moeder. Het enige waar hij zich voor interesseerde was haar voortdurend te volgen, krijsend om eten, met een hoog, doordringend gefluit dat door merg en been ging, alsof het een brandalarm was. Hij bleek dit fluitje twee of drie uur lang aan één stuk door te kunnen produceren, zonder zelfs maar zijn snavel open te doen. Op de tweede dag realiseerden we ons dat we niet één, maar twee van zulke fluiters op het dak hadden. Als je aan deze twee fluiters het voortdurende geschreeuw van twee of drie moeders toevoegt, plus het gekrijs van diverse rondzwervende mannetjes, heb je uiteindelijk een oorverdovend lawaai, dat bij het invallen van de duisternis niet minder wordt maar in de loop van de nacht nog in volume toeneemt. Meeuwen hebben kennelijk geen slaap nodig.

Daarom broeden wij op een plan om elke avond na sluitingstijd van restaurant El Touba naar beneden te gaan en alle zakken afval in het steegje zo om te kieperen dat de gulzige meeuwen op het dak het kunnen zien. Dan, zo redeneren wij, zullen de meeuwen een massale aanval op de vuilnismannen uitvoeren (net zoals ze Tippi Hedren in *The Birds* van Hitchcock aanvielen), zodat de vuilnisophaaldienst zal weigeren zich in het steegje te begeven tenzij de meeuwenpopulatie wordt geëlimineerd. Daarna zal onze slaap slechts één keer per nacht worden verstoord: door het heidense kabaal van lege flessen die in de ijzeren bak van de vuilniswagen worden gestort. En één keer dit gekletter 's nachts is toch zeker veel beter dan het gekrijs van zo'n honderd halfhysterische zilvermeeuwen?

Op hetzelfde moment dat wij een oplossing voor de meeuwen boven ons probeerden te bedenken, begonnen er in de kranten artikelen te verschijnen over veel erger meeuwengedrag in andere delen van Rome. Midden in de zomer schreef een vogelkenner naar *La Repubblica* dat hij bijna altijd bij het aanbreken van de dag getuige was van bloedige gevechten in de lucht boven het Palazzo Barberini. De voorbijkomende duiven werden aangevallen door krijsende eskaders meeuwen, beweerde hij, die vaak een paar vogels doodden en honderden andere de stuipen op het lijf joegen. De duiven begonnen te beseffen, ging hij verder, dat ze niet langer de onbetwiste koningen van het centrum van Rome waren. Deze meeuwen werden beschreven als *una novità assoluta* (een volslagen nieuwigheid) in Rome. Er werd druk gespeculeerd over hoe de *gabbiano reale*, die van nature altijd aan de kust nestelt, de weg naar de daken van Rome had weten te vinden.

Er kwam onmiddellijk een antwoord uit onverwachte hoek. Fulco Pratesi, voorzitter van het Italiaanse Wereldnatuurfonds, schreef dat het mogelijk was dat hij persoonlijk verantwoordelijk was voor dit nieuwe geslacht van grotestadsmeeuwen. Op een toon die aan de eerste volgelingen van Darwin deed denken, weet hij de invasie aan één enkele mutant, of misschien was het wetenschappelijk correcter om het aan één 'enkel ongeluk' te wijten dat één enkele vrouwtjesmeeuw was overkomen.

Dit verhaal, dat in augustus 2002 is gepubliceerd, vertelt dat in 1971 een Romeinse vogelliefhebber een vrouwtjesmeeuw, die na een akelig ongeluk (wellicht had ze een hoogspanningskabel geraakt) een vleugel miste, naar zijn studio bracht. De vogel werd daar gehouden tot de wond was genezen en daarna, beseffend dat ze in het wild niet in leven kon blijven, bracht haar redder haar naar de kooi van de zeeleeuwen, rond een betonnen zwembad, in de dierentuin van Rome. De zeeleeuwen leken weinig trek in zilvermeeuwen te hebben, dus ondanks de ontbrekende vleugel en het feit dat ze niet kon vliegen gedijde de zilvermeeuw en oefende ze zelfs een 'zekere aantrekkingskracht' uit op voorbijkomende mannetjesmeeuwen. Na verloop van tijd produceerde ze een aantal gezonde jongen, die voorspoedig opgroeiden op het dierentuindieet van verse sardines en kleine dieren die in de bak werden geboren, zoals goudvissen, kikkers en salamanders. De jonge meeuwen hadden geen problemen met het harde beton van het zwembad. Voor hen was dit net zo warm en knus als een willekeurige rotspunt die boven de zee uitsteekt. Na verloop van tijd vlogen er wat jonge meeuwen in de parasoldennen boven het bad omdat ze zich daar veiliger voelden, en na verloop van tijd bouwden ze een nest in de dennen, zodat ze aan een gezin konden beginnen. Maar als de eieren eenmaal waren uitgekomen, bleven hun jongen ook in de dierentuin, waar ze verse sardines en andere hapjes van de zeeleeuwen konden bemachtigen. Als nageslacht van een invalide vogel bleven ze voor altijd onwetend van de roep van de blauwe zee of de meeuwenkolonies langs de eilanden en de kusten van de Middellandse Zee. Al deze dingen konden de dieren alleen maar door meeuwenmoeders worden geleerd, maar hun moeder kon dit niet doen omdat ze niet kon vliegen.

In de loop der tijd werden de dieren rond de dierentuin steeds stadser en maakten ze hun nest van materiaal dat ze daar in de buurt vonden, zoals weggegooide papieren zakdoekjes, picknickzakjes of zelfs plastic verpakkingsmateriaal. Dit aanpassingsvermogen betekende het begin van een heel geslacht van stadsvogels, die net als veel immigranten in grote steden behendig werden in het opsporen van nieuwe voedselbronnen en in het bemachtigen van wat ze in deze stedelijke omgeving nodig hadden.

De dierentuin was de plek waar het allemaal begon, aldus het artikel, maar een tijdje later werd er door bouwvakkers die een pannendak op de Corso Vittorio moesten vervangen een grote kolonie ontdekt, en later werd er een grote kolonie aangetroffen op het dak van de Chiesa di Gesù, vlak bij de Piazza Argentina. Er werd er ook een op de zolderverdieping van het Palazzo Mattei gevonden. De conclusie luidde: 'Rome is vandaag de dag de enige stad ter wereld waar zilvermeeuwen op de daken nestelen, ver van hun gewone broedplaatsen op verre eilanden en in eenzame kloven aan de rand van de zee.'

Dit is een aardig verhaal, maar ik ben eerlijk gezegd wat sceptisch, want mijn onderzoek toont aan dat er al een aantal jaren meldingen zijn van verstadste zilvermeeuwen die op daken nestelen, tot in Triëst en Napels toe. In 1999 ontmoette de journalist Christopher Emsden een jongeman die met een notitieboek en camera in de hand de daken van Triëst beklom. Deze jongeman was de experimenteel psycholoog Fabrizio Antonelli, die voor zijn afstudeeronderzoek het speciale gedrag van meeuwen bekeek die een nieuw bestaan hadden gevonden op de daken van Triëst en Venetië. Volgens Antonelli begonnen deze meeuwen zich min of meer te gedragen als katten, bij wie, zei hij, 'ze volgens Darwin nog weleens lelijk op de koffie zouden kunnen komen'.

Antonelli stelt dat de nieuwe 'immigrantmeeuwen' uitermate intelligent zijn en over een indrukwekkend aanpassingsvermogen beschikken. Ze verslonden vaak lekkere hapjes die voor straatkatten waren neegelegd; ze tikten op de ramen van huizen en ze bleven ongewoon slim rondhangen bij viskraampjes op markten aan de kust in de hoop wat restjes te kunnen bemachtigen. Nieuwe onderdelen van hun menu waren kippenbotten en -poten, prosciutto, pizza, oude koekjes, fruit en groenten. Ze bleken ook, tot bijna ieders vreugde, ratten te lusten.

Naarmate de stadsmeeuwen zelfverzekerder worden, leren ze iedere dag nieuwe kunstjes. De Wereldnatuurfonds-mensen uit Brescia hebben onthuld dat toen de stad in 1998 het vliegveld Montichiari opende, men zich ernstig zorgen maakte over het feit dat er iedere morgen om negen uur drie enorme zwermen meeuwen aan kwamen vliegen, die iedere middag om klokslag vijf uur weer vertrokken, waarbij ze veel gevaar opleverden voor het vliegverkeer. Onderzoek onthulde dat de meeuwen zich de werktijden op de vuilstortplaats van het vliegveld, dat om negen uur openging en om vijf uur sloot, hadden ingeprent.

De psycholoog Antonelli denkt dat ze steeds slimmer zullen worden, en ook gemener. Zijn onderzoek wijst er zelfs op dat er een nieuwe klasse van oorlogszuchtige meeuwen begint te ontstaan. De vogels in onze buurt worden al geterroriseerd en het zou kunnen dat onze plaatselijke straatkat het volgende slachtoffer is. Deze taaie kat, de Hertog, had alles keurig voor elkaar, met de kattenvangster die hem iedere morgen om negen uur kwam voeren. De Hertog kreeg niet zo lang geleden een grote schok toen er om klokslag negen uur een eskader zilvermeeuwen omlaagdook en er met zijn ontbijt vandoor ging. Sandra, de *gattara*, zwaaide vergeefs met haar etenstas naar de meeuwen en de Hertog dook onder een auto die in het steegje geparkeerd stond en is sindsdien niet meer gezien.

22

Ons jubileumterras in de vuurlinie

IEDERE KEER DAT HET LEVEN IN ROME SAAI DREIGT TE WORDEN, weten de autoriteiten een nieuw festival of feest te bedenken om alles weer een beetje in beweging te krijgen. We waren al getrakteerd op een Heilig Jaar, een Tweede Vaticaans Concilie, de Olympische Zomerspelen en een aantal wereldkampioenschappen voetbal. Maar het festijn dat ze voor het jaar 2000 hadden bedacht was de moeder van alle kermistoestanden: het door het Vaticaan gesteunde jubeljaar, waarin werd verwacht dat miljoenen bedevaartgangers, de grootste menigte die ooit op de been was geweest, naar Rome zou optrekken om tweeduizend jaar christendom te vieren.

De voorgaande evenementen hadden hun tol geëist, maar het was het jubeljaar, waarin Rome in een bouwput veranderde, dat bij ons de deur echt dichtdeed. Robert en ik waren van plan een groot deel van het jubeljaar buiten Rome door te brengen, dus toen 1999 begon, bezagen we de toekomst redelijk kalm. We hadden al een paar jaar van betrekkelijke rust doorgebracht in onze flat met terras, en ondanks de invasie van zilvermeeuwen hadden we geen grote zorgen ten aanzien van het huis. De lekkage op het oosterse tapijt van signora Scarpa was kennelijk opgehouden. De sproei-installatie deed het goed en het zag ernaar uit dat het terras een rustige en comfortabele oude dag tegemoet ging, waarin wij lekker van de zon en de wind konden genieten zonder te veel bij de chaos beneden betrokken te worden.

Maar toen kwam die akelige maandag in april 1999, toen we een treurig stemmende brief van onze huisbaas, La Cattolica, ontvingen die ons vertelde dat de burgemeester van Rome had gedecreteerd dat alle grote palazzi van Rome opnieuw moesten worden geschilderd ter ere van het jubeljaar. We moesten ons erop voorbereiden dat er ergens deze zomer steigers rond het huis zouden worden neergezet, teneinde 'het rondgaan der schilders mogelijk te maken'. De brief wees er vervolgens op dat ons appartement bijzonder belangrijk was voor deze onderneming, omdat dit op de tweede verdieping van het gebouw het enige terras bevatte dat als 'plat vlak' kon worden gebruikt om de schildersuitrusting, die vanuit de Vicolo di San Biagio omhoog zou worden getakeld, te kunnen herbergen. Om deze reden, besloot de brief, moesten we beginnen al onze planten van het terras te halen, zodat de werkzaamheden konden aanvangen 'vermoedelijk in de maand augustus'.

We reageerden niet op de brief van La Cattolica. Twee maanden later ging de bel van de voordeur en stond ik tegenover een forse Sardinische *muratore* (metselaar) met een papieren muts op zijn hoofd, die zich formeel voorstelde als Capo Maestro van de millenniumsectie. Hij wilde weten of we onze planten van het terras gingen halen.

'Nee, dat doen we niet,' zei ik.

'Maar dat bent u verplicht.'

'Ik mag het dan verplicht zijn, maar ik ga niets meer weghalen. Ik heb onze potten nu al drie keer weggehaald.'

'Maar signora, dit is het millennium!'

'Het kan me niets schelen, ook al was het het eind van de wereld.'

'Maar wat moeten we dan met uw planten doen?'

'Doe wat u wilt. Zet ze voor mijn part op het dak. Zet ze maar ergens neer. U kunt echt niet van ons verlangen dat we onze planten nóg eens weghalen.'

We hoorden er niets meer over en we dachten al dat we de strijd hadden gewonnen. Kennelijk had La Cattolica om voorlopig toch maar niet te gaan schilderen. Zelfs als het werk uiteindelijk toch zou worden gedaan, leek het duidelijk dat er vóór half augustus of september niets zou gebeuren, dus voelden we ons vrij om onze plannen om in juli drie weken naar de V.S. te gaan gewoon uit te voeren. We hadden afgesproken onze flat in Rome te ruilen met vrienden die een huis op Long Island, Sag Harbor hebben. We wilden onze vrienden niet ongerust maken, dus zeiden we tegen hen dat als er in de tijd dat wij weg waren aannemers op de stoep kwamen staan, ze die niet binnen moesten laten.

Na twee weken van zeilen en zwemmen in Sag Harbor kregen we een e-mail:

Er werd aangebeld en er stond een man met een papieren muts op de stoep die vroeg of hij het terras mocht zien. We hebben tegen hem gezegd dat we niemand binnen mochten laten, dus ging hij weer weg. Maar vandaag staan er twee vrachtwagens pal onder het raam van de eetkamer geparkeerd en de mannen zijn bezig allerlei buizen en koppelstukken uit te laden die verdacht veel op steigeronderdelen lijken. Wat moeten we doen? Groeten, Pete

We mailden terug:

Laat niemand binnen en maak je geen zorgen.

Drie dagen later kregen we weer een bericht.

We maken ons geen zorgen, maar de bouwvakkers beginnen in het steegje achter het huis steigers op te bouwen en het is duidelijk dat ze rond het hele gebouw plankieren gaan maken. Wat moeten we doen? Groeten, Pete

We mailden terug:

Het spijt ons geweldig. We dachten dat dit niet ging gebeuren. Houd ons op de hoogte.

De volgende dag kwam het bericht dat de doorslag gaf:

Vandaag is de steiger tot de eerste verdieping gekomen en hij wordt met het uur hoger. We denken dat ze binnen drie dagen onze ramen hebben bereikt. Dan zullen we zo ongeveer belegerd worden. We hebben zojuist met Alitalia gebeld en ze zeggen dat ze donderdag plaats voor ons hebben in een vliegtuig, dus we denken dat we ons vertrek wat zullen vervroegen, als jullie daar geen bezwaar tegen hebben. We hebben

een heerlijke tijd in Rome gehad, maar al die steigers om ons heen wor-
den ons een beetje te machtig. Pete

We mailden terug dat wij ons vertrek ook zouden vervroegen en hen waarschijnlijk halverwege de Atlantische Oceaan zouden kruisen.

Ten slotte kwamen we vrij laat op de avond aan in onze flat. Na de aanwezigheid van een spinnenweb aan buizen rond ons palazzo te hebben opgemerkt, tuimelden we in ons bed. De volgende morgen werd ik rond halfnegen gewekt door stemmen en ik zag twee grijnzende gezichten, bekroond door de gevouwen papieren hoeden van de Romeinse *muratore*, die door mijn open raam naar binnen gluurden.

'Joehoe,' zei de ene, die een groot gat tussen zijn voortanden had.

'Wat doen jullie in mijn slaapkamer?' vroeg ik.

'*Noi muratori*,' zei de ene, met een sterk niet-Italiaans accent.

'*Salve*,' zei de andere.

Ik greep een ochtendjas en deed het raam dicht. Daarna ging ik op zoek naar de Capo Maestro, die buiten op het terras enthousiast met Robert stond te praten.

'Er staan twee mannen in onze slaapkamer,' zei ik, 'en ze spreken niet eens Italiaans.'

'Er zitten een paar Albanezen en Bulgaren tussen. We hebben heel Oost-Europa ingehuurd voor deze klus,' antwoordde de maestro.

'U bedoelt dat u belangrijk millenniumwerk met illegale arbeidskrachten verricht?'

De voorman wond zich niet op. 'We hebben geprobeerd er Italianen voor te krijgen, maar die zitten nu allemaal aan het strand en komen pas in september weer terug. Het jubeljaar kan niet wachten. Alle gebouwen in Rome hebben zwartwerkers aangenomen, zelfs het Vaticano.'

'Maar hebt u geprobeerd...?' begon ik.

'Het kan me geen *fico secco* [gedroogde vijg] schelen,' viel hij me in de rede. 'Als ik geen Italiaanse arbeiders heb, krijg ik een boete. En als ik het werk niet op tijd af heb, krijg ik ook een boete. Het maakt allemaal niets uit.'

Robert gebaarde met zijn hand naar me. 'Ik heb mijn vriend Gigi hier alles uitgelegd,' zei hij. 'Ik heb hem verteld dat we de planten al drie keer verhuisd hebben, en hij begrijpt dat we niet nóg eens kunnen beginnen, dus heeft hij beloofd te proberen om de planten heen te werken.'

Ik keek naar mijn gehavende terras. Al mijn potten waren van hun watertoevoer losgekoppeld en in de hoeken geschoven om ruimte te maken voor een groot takelblok waarmee materiaal van de straat naar het terras werd gehesen. Terwijl ik stond te kijken laadde een bouwvakker twee emmers cement uit, om de gaten in de gepleisterde muren te stoppen. Hij zocht een plek om een emmer neer te zetten, maar omdat de vloer vol stond, zette hij hem wiebelig op de pot van mijn grootste citroenboom.

'Hij moet eerst alle oneffenheden in de muur bijwerken voordat die kan worden geschilderd,' zei Robert.

'En wanneer gaan ze echt met schilderen beginnen?'

'Wie zal het zeggen?' antwoordde de maestro. 'Eerst moeten we een hoop steigerplanken aanbrengen om heen en weer te kunnen lopen. De schilders hebben ruimte nodig voor hun potten verf.' Hij wierp me een nerveuze blik toe. 'Dat betekent dat u al uw ramen en ook al uw *persiane* [luiken] zult moeten sluiten.'

Ik wilde protesteren, maar Robert was me voor. 'Hoor eens, liefje, daar valt niets aan te doen,' zei hij. 'Deze mensen moeten hun werk doen en ze hebben ons gewaarschuwd. Wij hebben de planten gewoon laten staan. Dus Gigi zal zijn uiterste best doen. Hij zal zijn mannen een paar grote potten op de plankieren laten zetten, en hij heeft beloofd ervoor te zullen zorgen dat ze iedere avond water krijgen. We hebben hier tenslotte nog steeds een slang liggen.'

De volgende dag nam Gina, tot onze onuitsprekelijke opluchting, het probleem van de bouwvakkers van ons over. Ze rolde alle tapijten in het huis op en verpakte ze in stevig papier. Daarna verzamelde ze al het familiezilver en verpakte dit stuk voor stuk in lappen stof en stopte alles in onze enige, grote buffetkast met een hangslot erop. Ze pakte Roberts beelden ook in, samen met onze mooiste schilderijen.

Daarna, pas toen onze familieschatten veilig waren opgeborgen, ging ze een praatje met de Capo Maestro maken. Ik was niet bij dit gesprek aanwezig, maar het leek een positief effect te hebben, want de volgende dag begroette hij me toen ik naar buiten kwam om het terras te bekijken.

'Goedemorgen, signora,' zei hij, bijna met een glimlach. 'Ik heb zojuist met Gina gesproken en ik denk dat we een oplossing voor uw problemen hebben gevonden. Ze zegt dat u niet ver hiervandaan een huis op het land hebt. Ik stel voor dat u daar zo snel mogelijk naartoe gaat, zodat u geen last hebt van alle *impicci* van deze operatie, en Gina met de zorg voor uw spullen achterlaat.'

Dit leek een goed plan, dus pakten we onze koffers en vertrokken naar Canale, waarbij we het toezicht overlieten aan onze *tuttofare*.

Gina deed bijna dagelijks verslag van alle vorderingen. De eerste week vertelde ze ons dat de bouwvakkers bezig waren hun materiaal op ons terras te zetten en de steigers aan te brengen. De luiken waren dicht, zodat er heel weinig licht naar binnen viel, hoewel er een paar straaltjes daglicht in de keuken binnendrongen. Toen Gina het toch over de keuken had, legde ze uit dat de maestro problemen met zijn lever had, wat betekende dat hij iedere dag een warme lunch moest hebben, en dat zij daar met alle plezier voor wilde zorgen, in het belang van de goede relatie.

In de tweede week meldde Gina dat de bouwvakkers nu bezig waren met de voorbereidingen voor het schilderwerk.

'Ze kunnen er echt niets aan doen,' zei ze, 'maar het stuift verschrikkelijk, en dat stof dringt ook het huis binnen, ook al houd ik de ramen goed dicht. Maar maakt u zich niet ongerust, ik zal alles na afloop goed schoonmaken.'

De volgende week had met het schilderwerk moeten worden begonnen, en ik dacht dat binnen een dag of tien alles wel klaar zou zijn. Maar er kwam een kink in de kabel, zoals dat in Italië zo vaak kan gebeuren. Gigi kon niet verder tot hij voor de kleur van de verf groen licht had gekregen van het ministero delle Belle Arti.

'Het ministerie krijgt veel klachten dat de gebouwen van Rome in de verkeerde kleur worden geschilderd,' vertelde Gina ons. 'Ze willen dat ze er voor het jubeljaar allemaal hetzelfde uitzien. Dus nu heeft Gigi vier verschillende kleurmonsters op de buitenmuur van het palazzo geschilderd, zodat een assistent van de minister kan komen kiezen wat het moet worden. Maar de assistent is de hele week nog niet geweest.' De assistent kwam ook niet in de tweede week, maar aan het eind van de derde week, toen ieders zenuwen volgens Gina *a pezzi* (aan flarden) waren, kwam de minister dan toch, en koos een kleur waarvan Gina zei dat die haar aan perziklimonade deed denken.

In de vierde week werd het werk hervat, met slechts enkele kleine incidenten. Zo ontstond er veel opwinding toen een Bulgaarse schilder na de lunch in slaap viel, en toen hij wakker werd ontdekte dat een Roemeense schilder zijn vriendinnetje in Bukarest belde op de gsm van de Bulgaar. De Bulgaar werd zo kwaad dat het bijna tot een handgemeen kwam, maar de Roemeen legde uit dat hij per ongeluk de telefoon van de Bulgaar die groen was terwijl zijn eigen telefoon lichtgrijs was, had gepakt. Daarop gaf hij zijn grijze telefoon aan de Bulgaar, die er onmiddellijk gebruik van maakte om zijn moeder in Sofia te bellen.

Dan was er het probleem met de meisjes die bezig waren de kerk aan de overkant te restaureren. Zoals Gina ons via de telefoon uitlegde, was er een groep heel knappe meisjes, allemaal studentes aan de academie, op de steigers rond de Chiesa del Divino Amore verschenen om de mozaïeken van de klokkentoren, die in de loop der jaren in verval waren geraakt, te restaureren. Deze meisjes waren afkomstig uit gegoede families, maar ze waren niet ongevoelig voor het geroep van onze *clandestini* schilders, en na een paar dagen van heen-en-weergepraat over het steegje vertrokken de twee jongste en knapste Roemenen in de lunchpauze om de steigers rond de kerk te beklimmen en aldus beter kennis te kunnen maken. Ze hadden een fles wijn bij zich en de meisjes haalden papieren bekers tevoorschijn. Het leek gezellig te zijn, tot er een paar nonnen het terras op kwamen om hun wasgoed op te hangen. Ze protesteerden onmiddellijk dat de bezoekers direct naar hun kant van het steegje terug moesten. Toen de schilders geen aanstalten maakten om te vertrekken, sloegen de nonnen naar hen met natte handdoeken en dreigden de *parroco* (pastoor) te bellen. Ten slotte namen de Roemenen met veel tegenzin afscheid van de meisjes en klauterden van het dak van de kerk af. Toen ze hun plaats op onze steigers weer innamen, werden ze gedempt toegejuicht door hun mede-clandistini. Het gebeurt niet vaak dat clandistini in Italië reden tot juichen hebben.

Ten slotte meldde Gina dat het gebouw was geschilderd en dat de werklieden klaar waren. We gingen meteen terug, en toen we naar de Piazza Borghese reden, zagen we dat het centrum van Rome, dat ter ere van het jubeljaar in zachte pasteltinten was geschilderd, eruitzag als een zoet toneeldecor.

Gina had ons appartement blinkend schoongemaakt, maar het terras zag eruit alsof er een orkaan had gewoed. Minstens de helft van de planten was dood doordat ze geen water hadden gekregen, en veel andere planten stonden er zwaar gehavend bij. Onze grootste en mooiste citroenboom had bijvoorbeeld al zijn takken verloren, op één broos takje met slechts enkele gerafelde blaadjes na. De tweede citroenboom zag er armzalig uit en het leek of er een aantal stevige takken was afgebroken doordat er van bovenaf iets zwaars op terecht was gekomen – mogelijk vallende steigerdelen. Maar Robert constateerde dat er aan de laagste takken nog vijf of zes groene citroenen hingen, wat erop wees dat de levenssappen van de bomen nog stroomden. Onze twee donkerrode oleanders hadden de chaos eveneens overleefd, maar dat was niet verbazingwekkend, aangezien de oleander, een taaie overlever, kilometers en kilometers ver langs de Italiaanse autostrada's staat, waar hij zelden water krijgt. Ik weet een stuk met schitterende roze en rode oleanderstruiken dat vanaf het centrum van Sperlonga over een afstand van zo'n zevenhonderd meter omlaagloopt naar het strand, en ik heb in alle jaren dat ik over dit rotsachtige pad ben gekomen nog nooit iemand de planten water zien geven.

We constateerden tot onze spijt dat alle geraniumplanten, waarvan sommige al zes of acht jaar oud waren, de geest hadden gegeven. Geraniums hebben veel water nodig. Eveneens verdwenen waren de meeste rozen, die het nu eenmaal niet prettig vinden als ze in een warm klimaat onverzorgd blijven. Maar er waren wel overlevenden onder mijn verzameling keukenkruiden. Ik ontdekte tot mijn vreugde dat een aantal rozemarijnheesters – essentieel voor het braden van kip en lam – het nog goed deed. Een ander keukenkruid, de zilverbladige lavendel, stond er na de recente verwaarlozing eveneens florissant bij. De grote zilverachtige heester, het resultaat van een stekje dat ik van lord Lambton uit zijn moestuin op Centinale had gekregen, was niet alleen gegroeid, maar droeg ook een paar zilverblauwe bloemen. Een andere tamelijk tere lavendel, *Lavandula dentata*, stond ook prachtig te bloeien.

Ook al leek onze hoeveelheid planten zo ongeveer gehalveerd te zijn, we gingen toch aan de slag om de potten weer naar de rand van het terras te schuiven. La Cattolica had een nieuw voorschrift uitgevaardigd dat we niet langer planten boven op de muurtjes rond ons terras mochten zetten, omdat de potten, als die water hadden gekregen, de neiging hadden te druppelen en te lekken, waardoor de pasgeverfde muren lelijk zouden worden.

'Ik ben bang dat het er erg kaal uit zal zien als er niets boven op de muur mag staan,' zei ik toen Robert de grotere potten weer op hun plaats schoof.

'Nee, het ziet er helemaal niet zo gek uit,' zei Robert, en hij liep een eindje achteruit. 'Ik geloof zelfs dat ik het wel een verbetering vind.'

Ik wist dat hij me alleen maar probeerde op te beuren, maar ik ging nog eens staan om beter te kijken.

'Misschien heb je gelijk,' zei ik. 'Het lijkt inderdaad heel ruim. Ik bedoel, je kunt je bijna niet voorstellen wat dat arme terras allemaal heeft moeten doorstaan.'

Nu de potten van de bovenkant van de muur waren verwijderd, leek het terras veel groter. In plaats van een bijna egaal scherm van heesters en bloemen, dat het uitzicht effectief belemmerde, konden we nu andere daken en ook de blauwe lucht zien, wat ons terras een nieuwe dimensie gaf. Omdat de resterende planten nu meer ruimte om zich heen hadden, waren hun afzonderlijke vorm en kleur beter te zien, niet alleen maar als elementen in een groter geheel. Ik was zeer onder de indruk van één kleur die me eerder op het terras was ontgaan, en dat was het lichte grijs van de lavendels, die er een sterk mediterraan accent aan gaven. Het grijs zorgde ook voor een contrast met het roze en blauw van de kleinere eenjarigen, vooral van de petunia's en de leeuwenbekjes, die het op Romeinse terrassen zo goed doen.

'Ja, je hebt echt gelijk,' zei ik na een korte aarzeling tegen Robert. 'Ik zou dit tegenover niemand anders dan jou willen toegeven, maar er moest nodig eens flink worden uitgedund, en nu dat is gebeurd, is het heel mooi.'

'Minder is meer,' zei Robert enigszins plechtig.
Viva il Giubileo.

23

Slotstrofe

Toen het jubeljaar ten einde liep, rekenden we erop dat ons leven in Rome weer enigszins normaal zou worden. De gebouwen waren mooier, de piazza's waren opgepoetst, en de tuinen stonden vol extravagante bloemen. Om deze transformatie te bereiken was de stad een jaar lang in één groot bouwterrein veranderd, wat iedereen danig op de zenuwen had gewerkt, maar toen het eenmaal klaar was, moesten we toegeven dat alles mooier was dan we hadden verwacht. Jubeljaren waren toch niet zó gek.

En toen, in het voorjaar van 2000, werden we ons bewust van een nieuwe dreiging vanuit een onverwachte hoek: de lucht. Opeens, op een rustige zaterdagmorgen in mei, zagen we een gigantische groene kraan die langzaam van vlak achter het belastingkantoor aan de overkant omhoogkwam. De kraan verrees tot zo'n zes verdiepingen hoog en daarna werd er een lange dwarsarm opgehesen en door een kraanmachinist die omhoog was geklommen boven aan de paal vastgemaakt.

Toen hij de dwarsarm had bevestigd, hees hij zich in de cabine en hing een vlag uit, met daarop de naam van het bedrijf. Daarna zette hij de motor aan. Langzaam maar zeker, als een enorme bidsprinkhaan, bewoog de arm van de kraan over het dak van het belastingkantoor, zwaaide over de onlangs opgepoetste klokkentoren van de Chiesa del Divino Amore en kwam toen tot stilstand, recht op ons terras gericht.

'Kijk,' zei ik tegen Robert. 'Ons terras wordt belaagd door een enorme groene *gru* [kraan]. Het lijkt alsof hij gaat bijten.'

Toen de arm van de kraan echter eenmaal op ons wees, bleef hij stilstaan, met zijn dreigende vinger even roerloos als een overmaatse wegwijzer. Onze zilvermeeuwen, die altijd alles in de gaten hebben, begonnen belangstelling te tonen voor de enorme ijzeren 'boom' die boven de omringende daken uittorende. Enkele waaghalzen streken op de arm neer, omdat die ze een goed uitzicht over de buurt bood, en vooral over het dak vlak bij ons, waar de vrouwtjesmeeuwen op hun eieren zaten. Onze vriendin Gabby de Gabbiano was voor het tweede seizoen teruggekeerd, samen met drie andere vrouwtjes-meeuwen, die vlak bij haar een nest bouwden. Al deze nestelactiviteit trok veel belangstelling in de vogelwereld. Enkele bonte kraaien die vroeger slechts af en toe langskwamen, streken nu elke dag neer op de televisieantennes en tuurden dreigend naar beneden. Gabby en haar vriendinnen vlogen dan onmiddellijk op om ze weg te jagen. Een kraai raakte een keer zo uit koers dat hij op een meter van een nest te-recht kwam. Gabby posteerde zich tussen hem en het nest en opende haar snavel die zich op een paar centimeter van zijn kop bevond – een dreigend gebaar dat de schurk haastig deed wegfladderen.

Vlak voor zonsondergang vlogen de grote mannetjesmeeuwen al-tijd van de rivier naar de kraan om daar stuk voor stuk een plaatsje op te bemachtigen. Hun tafelschikking was bijna even ingewikkeld als die voor een diner op Buckingham Palace. Als er een meeuw per on-geluk binnen een meter van zijn buurman landde, vloog de buurman meteen weg om een wat eenzamere positie op de kraan te kiezen. Te-gen zonsondergang zaten er meestal twintig tot dertig meeuwen op de kraan. Ze brachten de rest van de nacht door met waken over de nestjongen en over en weer kletsen met de wijfjes. Sommige van deze gesprekken begonnen met een laag miauwend geluid, maar als de meeuwen eenmaal opgewonden raakten, werden hun stemmen steeds luider, tot ze als hinnikende paarden klonken. Dit geroeze-moes duurde uren en maakte slapen moeilijk. Ons steegje was een meeuwenstadion geworden.

Op een morgen ging ik na het boodschappendoen eens achter het belastingkantoor kijken om erachter te komen waar de kraan was neergezet, en uiteindelijk vond ik hem, weggestopt in de grote tuin rond het Palazzo Firenze, het onderkomen van het Dante Alighieri-genootschap. Daar staat het groene monster groot en roerloos naast

216

een magnolia, het voormalige onderkomen van merels. Niemand in de omgeving schijnt te weten wie de *gru* in de tuin heeft gezet, of waarom. Vanuit één bepaalde hoek lijkt het of hij er is neergezet om het dak van het belastingkantoor eraf te halen, maar wie zou dat willen doen? Of misschien is hij daar neergezet ter voorbereiding op herstelwerkzaamheden aan de kerk tegenover ons terras. Maar het lijkt dwaas dat er een kraan van zes verdiepingen hoog nodig zou zijn om een klein gebouw van nauwelijks één verdieping hoog te repareren.

Na hier een paar weken over te hebben gepiekerd fantaseerde ik dat de kraan eigenlijk een afluisterbuis was, die door een mysterieuze geheime dienst was geïnstalleerd. Deze organisatie wilde de bewoners van onze wijk beter in de gaten kunnen houden en ze hadden een systeem ontworpen met behulp waarvan de huidige machthebbers informatie kregen over wat de burgers van het hart van Rome in hun schild voerden.

We vormen een bont geheel, wij burgers van het centrum van Rome, en we hebben in de loop der jaren honderden veranderingen meegemaakt en we hebben duizenden calamiteiten over ons heen gekregen. We hebben Rome na een lange en kostbare oorlog moeizaam weer tot leven zien komen. We hebben de *Anni di Piombo* (jaren van het lood) meegemaakt, toen de Rode Brigades Rome in een terreurgreep hielden. We hebben het van een slaperig dorpje, waarin bijna alle gezichten op straat vertrouwd waren, zien veranderen in een hectische metropool met duizenden bussen, motorfietsen en auto's. We hebben nu het punt bereikt waarop de wal het schip zal moeten keren. De straten van Rome, die zijn gebouwd voor wandelaars en kleine wagens, zijn in beslag genomen door een leger voertuigen dat ieder stukje straat en ieder steegje vult, en wanneer die voertuigen de straten volledig hebben geblokkeerd, parkeren ze twee- en driedubbel op de stoep en op opritten.

De politici schijnen te denken dat ze dit alles de baas kunnen blijven door meer wetten uit te vaardigen, en ik heb me laten vertellen dat er in de boeken van Italië meer wetten staan dan in die van welk land ook. Maar als de wet eenmaal is aangenomen en de politici hun plichtmatige applaus op de tv in ontvangst hebben genomen, gebeurt er niets. Net als de aapjes die niet willen horen, zien of spreken, houden Italiaanse ambtenaren zich meer met andere zaken bezig, zoals het veiligstellen van hun baan of het zich voorbereiden op hun tweede (zwarte) baantje, 's middags. Als gevolg hiervan worden de wetten over veiligheidsgordels jarenlang door iedereen genegeerd, evenals de wet die het gebruik van mobiele telefoons tijdens het autorijden verbiedt. Er staat hier bijvoorbeeld een bord dat het verboden is op de straat voor ons palazzo te parkeren, maar er wordt jarenlang steeds overal geparkeerd en ik heb nog nooit gezien dat iemand een bon kreeg.

Dit totale gebrek aan toezicht op de naleving van wetten maakt het leven voor voetgangers nog gevaarlijker, want zij moeten op de straat lopen omdat het trottoir versperd is. Het doel van de verkeerswetten is de doorstroming van het verkeer te bevorderen, niet de voetgangers te beschermen. Daarom zijn er weinig zebrapaden en de paden die er zijn, zijn vaak weggesleten en slecht zichtbaar. Verkeerslichten die voetgangers verder kunnen helpen zijn even zeldzaam als verkeersagenten. Het chaotische verkeer op de straathoek bij de Ponte Cavour vlak bij ons hoort geregeld te worden door een speciale agent met lichtgevende bretels, maar iedere keer dat ik hem zoek, heeft hij zijn bretels afgedaan en zit hij verscholen achter het zonnescherm van het havencafé dat uitkijkt over het kruispunt. Er wordt voortdurend geschreeuwd en gescholden. De Via del Corso, bijvoorbeeld, in het hart van het oude Rome, werd jaren geleden afgesloten voor het verkeer om er een voetgangersgebied van te maken, maar nu schieten er voortdurend auto's doorheen. Ik heb weleens vijf minuten aan het begin van een zebrapad staan wankelen in een poging de Corso over te steken, terwijl de automobilisten vrolijk voorbijzoeven. Wanneer uiteindelijk een beleefde chauffeur medelijden met me krijgt, sluip ik behoedzaam naar voren, omdat er 50 procent kans bestaat dat er twee krankzinnige motorfietsen, die zich aan de andere kant van de automobilist verschuilen, opeens naar voren zullen schieten naar wat ik voor een veilige zone hield, om mij ter plekke met de dood te bedreigen.

Door smalle straatjes lopen, waar het trottoir ontbreekt, is ook zo'n bezoeking voor voetgangers, vooral voor mensen met een boodschappentas. De meeste Romeinse chauffeurs zullen als ze iemand door een smal steegje zien lopen liever nog harder gaan rijden dan even te toeteren om ervoor te zorgen dat de wandelaar zich van schrik ijlings uit de voeten maakt. Ze razen op topsnelheid voorbij en als de arme voetganger niet over de behendigheid beschikt zich plat tegen een gebouw aan te drukken, eindigt hij misschien zonder tas of zelfs met een gebroken been.

Deze onverschilligheid voor het openbare welzijn is sinds de plundering van Rome, in mei 1527, de karakteristieke houding van de heersende klassen geweest. Of die heersers nu autoritaire aristocraten, corrupte en heerszuchtige pausen, vreemde machten uit Spanje, Frankrijk of Oostenrijk waren, of dictators als Mussolini, de burgers hebben geleerd zich gedeisd te houden. En omdat ze nimmer een democratisch systeem hebben ervaren, hebben ze eeuwenlang overleefd door als bescherming met hun familie of clan een hecht blok te vormen. Sociologen die een maatschappij graag een etiket opplakken, hebben het over het Italië van vandaag als over 'pseudo-feodaal of tribaal'. Voor Italianen is de staat altijd de vijand geweest, en hoewel ze slimme systemen hebben bedacht tegen hun baas (wie dat ook mag zijn) en te grijpen wat de staat hun gratis te bieden heeft, hebben ze nooit eeuwige trouw gezworen aan een groepering buiten hun familie. Er is na de Tweede Wereldoorlog misschien een periode geweest dat veel Italianen, zowel arbeiders als intellectuelen, zich door de beloften van gelijkwaardigheid van het communisme hebben laten verlokken, maar met de val van de Berlijnse Muur is deze droom van een wereld van rechtvaardigheid en vrijheid verdwenen.

Ze zijn nu gegrepen door de bedrieglijke verlokking van de Amerikaanse consumptiemaatschappij, en er is een nieuwe welvarende groep kleine ondernemers die met elkaar wedijvert om te zien hoeveel chique auto's ze in hun garage kunnen proppen en hoeveel tv's en computerspelletjes ze in de slaapkamers van hun kinderen kwijt kunnen. Deze sinds kort welvarende Italianen hebben weinig besef van burgerlijke saamhorigheid of loyaliteit. Of zoals een grappenmaker het stelde: jonge Italiaanse mannen hebben geen zin om erop uit te gaan om voor verheven idealen op het slagveld te sneuvelen. Ze rijden zich liever op de *autostrada* in hun Alfa Romeo te pletter.

Indro Montanelli, een van de meest gerespecteerde journalisten van Italië, en gedurende het grootste deel van de twintigste eeuw een wijsgeer, stierf in 2001 op tweeënnegentigjarige leeftijd vol wanhoop over de vraag of zijn geliefde Italië ooit een werkbaar systeem van democratie zou bereiken. 'Ik heb de hoop opgegeven,' zei hij in *Indro Montanelli: Only a Journalist*. In dit boek schreef Montanelli over de grote teleurstellingen die zijn land hem tijdens zijn lange leven had bezorgd. Hij had het over de herhaalde momenten – vooral na de Tweede Wereldoorlog – dat Italiaanse staatslieden een grondwet in elkaar timmerden en van plan waren een democratie op basis van een tweepartijenstelsel in te voeren. Maar elke keer kwam het systeem ten val door onenigheid tussen machtswellustelingen in de versplinterde partijen. Of zoals het oude gezegde luidt: in Italië wil iedereen opperhoofd en niemand indiaan zijn.

'Ik ben tot de conclusie gekomen,' schreef Montanelli, 'dat een bipolair systeem in Italië niet mogelijk is omdat het indruist tegen de genetische code van de Italianen [...] vanwege onze neiging alles in ons leven altijd te bekijken vanuit onze *eigen speciale behoeften* [in tegenstelling tot de behoeften van de hele groep]. We dragen dit gen in ons bloed met ons mee en er bestaat geen enkele manier op aarde om dit met wortel en tak uit te roeien.'

Vervolgens citeerde hij een vader van de Italiaanse jurisprudentie: 'In dit land zijn hervormingen niet alleen zinloos, maar ook schadelijk, want ze leiden altijd tot iets ergers. In Italië is het niet nodig het kiesstelsel te hervormen, de wetten noch de regels. De Italianen moeten zelf nodig worden hervormd.'

Montanelli, die zichzelf als conservatief beschouwde, gaf eerlijk toe dat de laatste grote desillusie van zijn lange leven de mislukking van de Mani Pulite-campagne was. 'Op enkele uitzonderingen na geloofden alle politici die waren gepakt in een dubbele moraal: een voor de vorst en een andere voor zijn onderdanen [...] en het punt waar het Italiaanse volk het meest enthousiast over was, was dat er ten slotte strijd werd gevoerd tussen een groep goede rechters en een bende verdorven politici. Het was onmogelijk om niet aan de kant van Di Pietro te staan [...]'

Montanelli merkte vervolgens echter op dat Di Pietro's collega's bij het Milanese hof van justitie een fout hadden gemaakt door hem de leidende rol te geven van Sint-Joris die de draak moest verslaan. 'Om de hoofdgetuige van een grote zuiveringsactie als deze te zijn, was het niet voldoende om *mani pulite* te hebben,' zei hij. 'Zo iemand moest in alle opzichten volkomen onberispelijk zijn. Di Pietro was geen oneerlijk mens. Hij was een uitstekende politieman, heel bekwaam in het loskrijgen van bekentenissen en het ondervragen van getuigen, maar hij was *uno sventato* [nogal roekeloos]. En hij was niet altijd behoedzaam in het kiezen van zijn kennissen. Ik vind dat zijn collega's een vergissing hebben begaan door een uitstekende politieman in een Robespierre te veranderen. Ze hadden moeten weten dat zijn zwakke punten uiteindelijk aan het licht zouden komen.'

Tijdens een van zijn laatste wekelijkse televisieoptredens werd Montanelli gevraagd iets over de toekomst van Italië te zeggen. De journalist slaakte een diepe zucht. 'Zoals u weet, heb ik de hoop opgegeven dat de Italianen erin zullen slagen zichzelf tot een waarlijk democratische staat te vormen. Italianen hebben nooit veel gevoel voor nationale identiteit gehad. [...] Ze hebben lange tijd weten te overleven op leugens en verzinsels en oude mythen, en nu hebben ze hun buik vol van leugens.'

Maar daarna klaarde Montanelli's gezicht op; hij glimlachte met een blik van verstandhouding en bracht zijn lange gestalte in zijn stoel naar voren. 'Ik geloof dat de enige hoop voor de toekomst van Italië in de Europese Unie ligt,' zei hij. 'Dat is een sterke organisatie, die een belangrijke rol zou kunnen spelen in de ontwikkeling van een democratische Italiaanse staat.'

Montanelli sprak de hoop uit dat de EU eveneens gepaste actie zou ondernemen om het monopolie dat premier Berlusconi op het Italiaanse televisienieuws heeft te verbreken.

'Maar als dat niet gebeurt,' ging hij verder, 'weet u wat ik dan voor de toekomst zou wensen? Ik zou willen dat de Europese Unie het regeren van Italië overnam. Ik zou willen dat de Duitsers het ministerie van Financiën leidden. Ik zou willen dat de Fransen het ambtenarenapparaat overnamen, en de Engelsen het ministerie van Justitie. En de Scandinaviërs zouden misschien de nationale gezondheidszorg kunnen aanpakken. We zouden de Zwitsers erbij kunen halen om eens naar het belastingsysteem te kijken.'

Na afloop van het programma was ik er niet zeker van of Montanelli dit alles had gemeend of niet. Maar tijdens zijn op één na laatste tv-optreden legde de grote journalist omstandig uit dat, hoewel er in Italië veel was waaraan hij wanhoopte, hij van veel individuele burgers een hoge dunk had.

'Ik geloof dat individuele Italianen tot de meest creatieve mensen ter wereld behoren,' zei hij. 'Denk eens aan alles wat zij op het terrein van natuurwetenschappen, kunst, literatuur en zelfs economie hebben bereikt. Ze zijn enorm intelligent. Het zijn harde werkers. Ze hebben een uitstekende smaak en ze hebben geweldige ontwerpers voortgebracht, zowel op het gebied van concertzalen en musea als op dat van damestasjes. Maar het zal u zijn opgevallen dat veel van de besten onder hen pas roem oogsten wanneer ze Italië hebben verlaten en naar het buitenland zijn gegaan.

Italië heeft iets wat hen tegenhoudt. Het kan zijn dat Italië gezamenlijke inspanningen niet aanmoedigt. Er bestaat hier weinig gemeenschapszin. Er hangt te veel af van wie je kent en niet van wat je kunt. Het is een natie van individualisten, en gezamenlijke inspanningen moeten kennelijk altijd eindigen in geruzie.'

In zijn slotverklaring bracht hij het feit ter sprake dat hij zojuist tweeënnegentig was geworden. 'Ondanks al het geluk dat ik in mijn leven heb gekend,' zei hij, 'is het helaas mijn lot dat ik de twee dingen die mij het liefst zijn mee het graf in zal nemen: mijn beroep van journalist en mijn land. De teloorgang van de journalistiek valt voor iedereen nu duidelijk te constateren. Maar mijn land verloochenen is een offer dat ik nimmer zou kunnen brengen, hoewel ik besef dat het noodzakelijk en zelfs onvermijdelijk is. Ik kan slechts dankbaar zijn voor het voortschrijden van de tijd, dat mij van enig besluit zal ontheffen.'

Montanelli speelde graag de onheilsprofeet en hij leek er een satanisch genoegen aan te beleven te verkondigen dat zijn leven een mislukking was geweest en dat iedere zaak die hij had gesteund in een puinhoop was veranderd. Maar ik vermoed dat er achter zijn manier van doen iets anders stak wat hij niet kon verbergen, hoezeer hij dat ook probeerde, en dat was een soort hopen tegen beter weten in dat de Italianen ooit tot inkeer zouden komen.

Want gedurende zijn lange loopbaan, die begon toen hij als jong journalist door United Press naar Ethiopië werd gestuurd, heeft hij nooit zijn vastberaden zoektocht naar de antwoorden opgegeven. Hij is overal geweest en hij heeft veel belangrijke mensen ontmoet. Hij sprak koningen en koninginnen, eerste ministers en presidenten bij hun voornaam aan, maar in zijn boeken staan geen roddels, nergens wordt gepocht over belangrijke nieuwtjes waar hij mee kwam, of over beroemde actrices op wie hij een oogje had. Zijn geschriften vormen slechts een lang en vaak verbitterd verslag van zijn nimmer aflatende zoektocht naar een glorieuzer en beter Italië.

En wat hij ook zei, zijn hoop en zijn enthousiasme hebben hem nooit verlaten. Zelfs nog toen hij in de tachtig was, pakte hij zijn paraplu en liep in de regen door Milaan om buiten het gerechtsgebouw te gaan staan wachten op het laatste nieuws in de Mani Pulite-zaak. Zelfs in de laatste weken van zijn leven was hij nog steeds op zoek naar nieuwe oplossingen voor zijn geliefde Italië, een land dat onder zijn burgers een verrassend aantal bevlogen en toegewijde individuen (zoals hij) telt, die af en toe ophouden met mopperen en om zich heen kijken, met de hoop en het creatieve voorstellingsvermogen die altijd deel hebben uitgemaakt van het erfgoed van Italië.

Misschien vinden ze binnenkort eens een oplossing.

Literatuur

Abate, Tiziano, *Indro Montanelli: Soltanto un Giornalista*, Rizzoli, Milaan, 2002.

Coffin, David, *Gardens and Gardening in Papal Rome*, Princeton, 1991.

Lelia Caetani Howard, Pittrice e Giardiniera, catalogus van schilderijen, Carlo Virgilio Gallery, Rome, 2001.

Jacob, Lauren, 'The Medals of Paul V: An Exploration of Papal Identity', in: *The Medal*, British Art Medal Trust, 2002.

Kelly, J.N.D. (red.), *Oxford Dictionary of Popes*, Oxford University, 1996.

'Perché ha Vinto il Centro-destra', een onderzoek naar de Italiaanse verkiezingen, Società Editrice il Mulino, Bologna, 2001.

Valentini, Giovanni, *Antonio di Pietro: Intervista su Tangentopoli*, Laterza, Bari, 2000.

Veltri, Elio, en Travaglio, Marco, *L'Odore dei Soldi*, Editori Ruiniti, Rome, 2001.